DVDで覚える

自力整体

スッキリ・スリム
きれいで健康な体になる

矢上 裕 Yu Yagami

はじめに

からだの疲労の正体は、実は筋肉のコリです。
そして筋肉のコリの原因は次の3つです。

①過労や激しい運動によるからだのゆがみ
②食べすぎで排泄《はいせつ》不完全による血液の汚れ
（とくに腰痛や肩コリ、頭痛の原因）
③ストレスなどこころの緊張からくる無意識の筋肉緊張

これらのコリ（＝疲労）をとるため「自力整体、整食法、整心法」の3つのやり方を紹介しています。

そして付属DVDに収めた自力整体のカリキュラムは、疲労回復と体力強化という目的で構成しています。

ゆで卵でたとえると、中身の卵そのものが体力で、固い殻は疲労した筋肉のコリのよろいです。

だから体力を強化するということは、きつい運動で鍛えることではなく、体力の表面にこびりついている筋肉のコリを解きほぐし、本当の元々あった体力を解放してやることなのです。

また筋肉のコリの表面には脂肪がつきます。その筋肉のコリを自力整体でほぐしていくと、筋肉が増えて皮下脂肪や内臓脂肪が消えるので、くびれのあるメリハリボディができます。

さらにコリがなく野生の動物のようにだらりと脱力しているときの筋肉は、一番「スピード、スタミナ、パワー」に優れています。だから皆さんも筋肉を鍛えてコリを作るのではなく、筋肉のコリを自力整体で取り除くことで、押さえつけられていた本当の体力を解き放ってあげましょう。

たくましい筋肉を作るより、しなやかで脱力できる筋肉を作りましょう。

さあトライしてください。

CONTENS

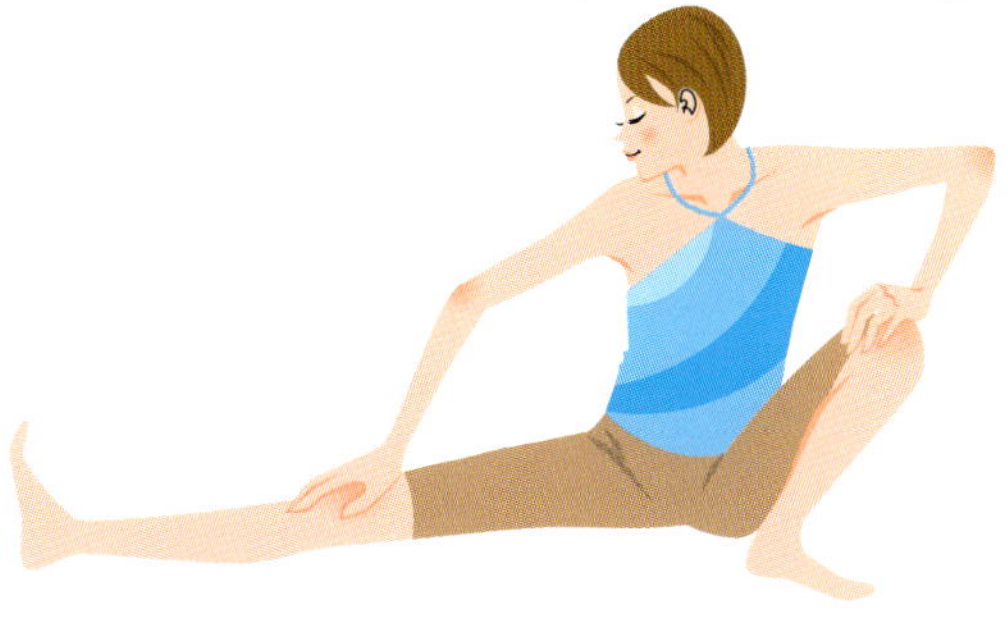

理想のプロポーションをGET！

Part 3

自力整体をやってみよう

CONTENS

●デザイン・DTP　白石 朋子［TASTY DESiGN］
●イラスト　小野塚 綾子
●モデル　牧野 里砂［GURRE CO.,LTD.］
●写真撮影　畠中 俊洋［(有)ケイフォトサービス］
●ヘアー&メイク　高田 智枝子［レ サンク サンス］
●編集協力　(有)クラップス
●DVD制作　宮﨑 洋史、池口 泰生［エー・アイ・アイ(株)］

[DVDの構成と使い方]

▶メインメニュー

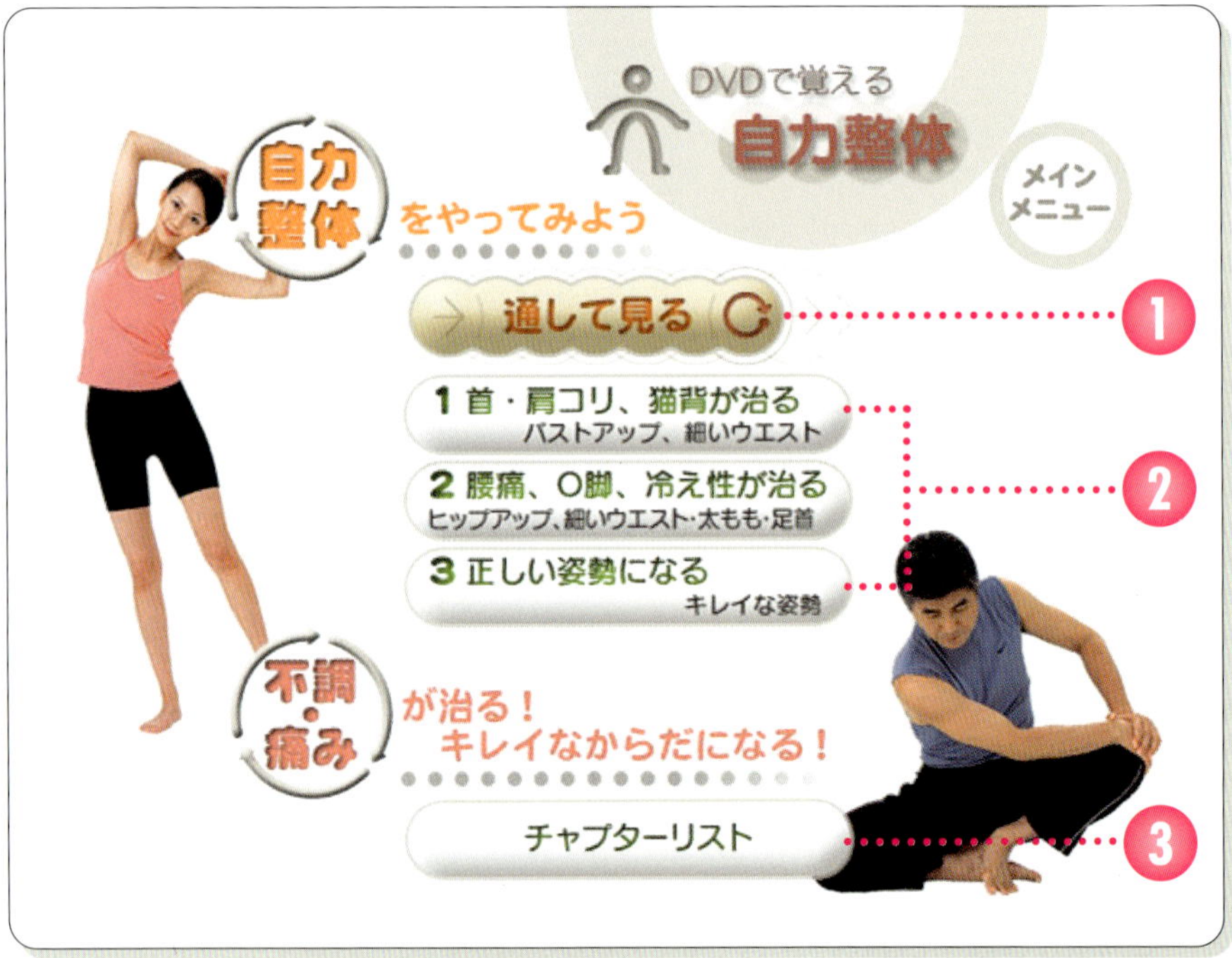

❶自力整体教室そのままの実技が、約90分間通して体験できます。

一度時間をとってシッカリ体験してください。気持ち良さ間違いありません。
本書のPart 3（47～90頁）でも連続写真を使って解説してあります。

❷サブメニューを表示します。

上記❶の実技を細かく区分したサブメニューが表示されます。時間がとれないときは「1 首・肩コリ、猫背が治る」や「2 腰痛、O脚、冷え性が治る」だけ行うのも良いでしょう。就寝前にするときは「1 首・肩コリ、猫背が治る」がオススメで、午前中にするときは「2 腰痛、O脚、冷え性が治る」がオススメです。

❸サブメニューを表示します。

肩コリや腰痛など症状別の自力整体を体験できます。
日常生活でちょっと疲れを感じたときなど行ってください。
本書のPart2（25～46頁）でも連続写真を使って解説してあります。

メインメニュー

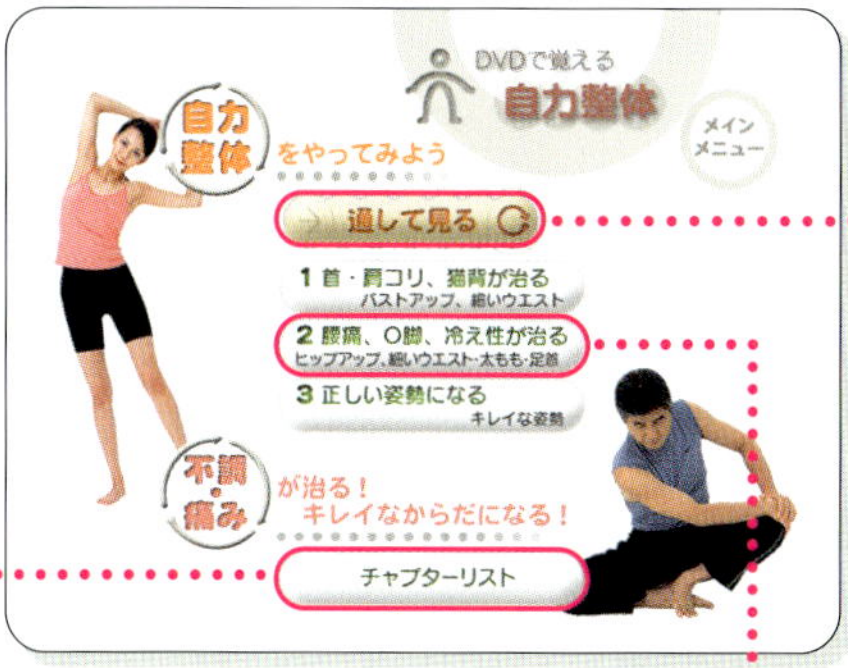

次頁へ

実技を通して見られます。

サブメニュー

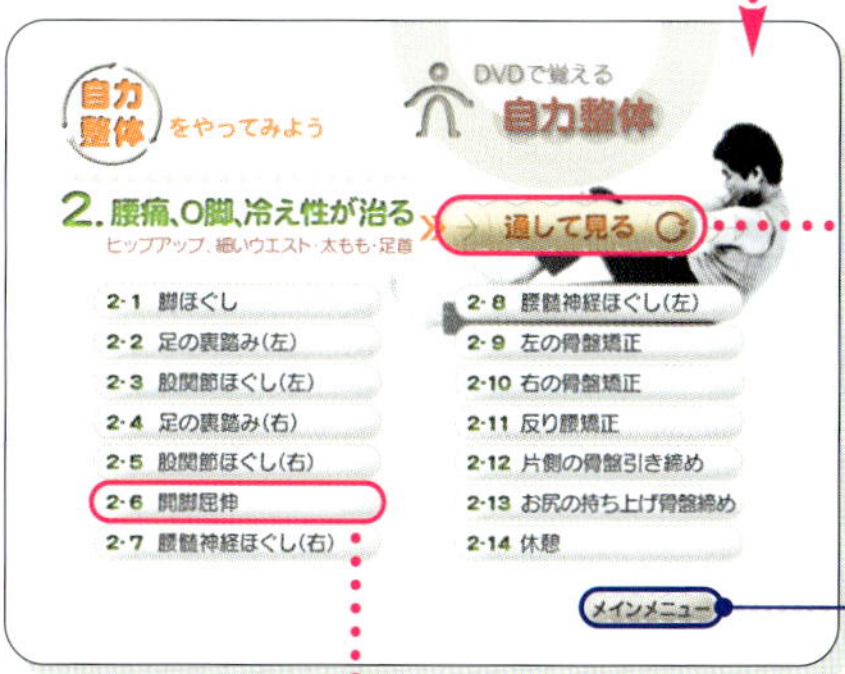

サブメニューが
表示されます。

「2　腰痛、O脚、冷え性が治る」の実技
を通して見られます。

「メインメニュー」に戻ります。

実技の効能・効果が
表示されます。

「2-6　開脚屈伸」の実技だけ見られます。

▶サブメニュー

タイトルが表示された後、
実技が再生されます。

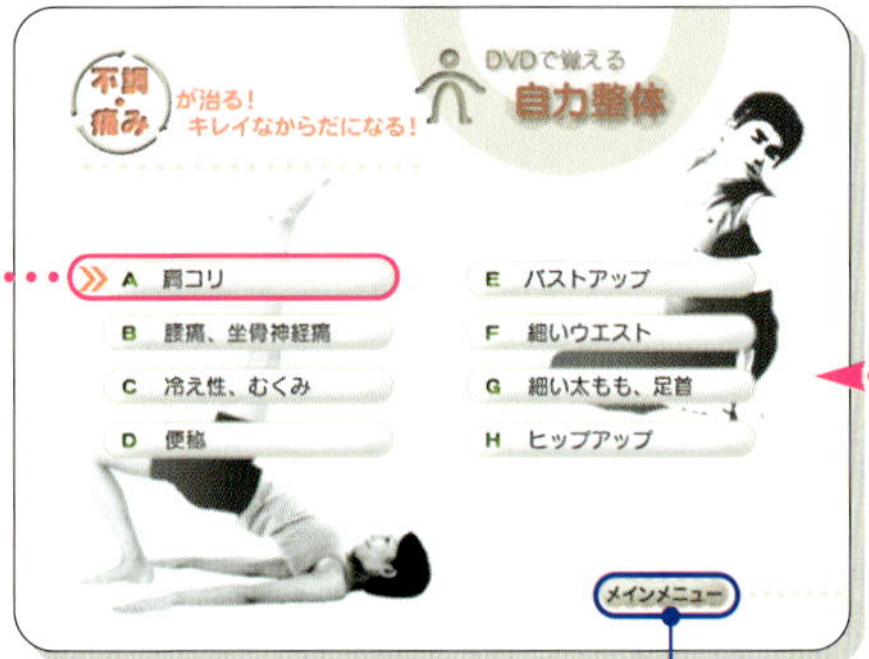

サブメニューが表示されます。

「メインメニュー」に戻ります。

前頁より

DVDの視聴のしかた

1 DVDプレーヤーに、ディスクを正しくセットしてください。

2 DVDプレーヤーの取り扱いについては、
ご使用になるプレーヤーの説明書を ご覧ください。

3 自動的にオープニングムービーが再生されます。

4 オープニングムービー終了後、メインメニューが表示されます。

5 DVDプレーヤーのリモコンにある[▲][▼](カーソル)ボタンを押し、
メインメニューに表示された5つの項目の中からご覧になりたい項目を
選択して、決定(または再生)ボタンを押してください。

Part 1

健康で美しいからだは自力整体でつくる

どうしてからだにコリや痛みが起こるの？

筋肉が硬いことがコリの原因

肩や首のコリ、腰の重み、脚のこわばり、手足のむくみなど、私たちは日々の生活の中でからだの不快感を感じているもの。これはからだからの「なんとかして～」というサインです。

このサインを無視していると、そのうち頭痛や腰痛といった「痛み」になっていきます。

からだのコリやこわばりは、筋肉が緊張して硬くなっていることが原因です。

筋肉が硬いところは、血液の流れが悪くなって、血液中に乳酸などの老廃物が溜《た》まっている状態。つまり血液が汚れているのです。それがコリやこわばり、ハリになり、さらに悪化すると痛みになるのです。

筋肉が硬いのはからだが歪むから

では、なぜ筋肉は硬くなってしまうのかというと、それはからだが歪んでアンバランスになっているからです。

たとえば、上半身を左にねじって作業をしているとします。すると筋肉は、その歪みをキャッチしてもとのねじれていない状態に戻そうと、右側の首や肩、背中、腰の筋肉が緊張します。**緊張が続くと、筋肉が疲労して縮んで硬くなる。**そして肩コリや腰痛になるのです。

からだが歪んでいる人は、この筋肉が緊張した状態をつねに続けているということ。すると、からだのいたるところで**筋肉が疲労して老廃物が発生**し、血液が汚れてドロドロになって、コリやこわばりとなるのです。

とくにからだの基盤である**骨盤に歪みが発生すると**、骨盤につながっている背骨も歪んでしまうので、からだの**いろいろな場所で筋肉が緊張**してしまいます。

この骨盤の歪みは、骨盤を支えるお尻やおなか、太ももの筋肉が緩むことが原因ですので、この筋肉をシッカリさせることが骨盤を歪ませないことになるのです。

では、次項で歪みとからだの関係についてもう少しふれてみましょう。

からだに歪みがあるとどうなるの？

□健康とスタイルのキーワードは伸筋《しんきん》

筋肉には、腕を伸ばしたり姿勢を保つときに使う「**伸筋《しんきん》**」と、腕を曲げたり腰を屈《かが》めるときに使う「**屈筋《くっきん》**」という2種類の筋肉があります。

からだが歪むということは、この伸筋と屈筋のバランスが崩れることです。

伸筋と屈筋の**バランスが5対5の状態を「整体」**といい、整体になると健康だけでなく美しい姿勢やメリハリのあるプロポーションも手に入ります。

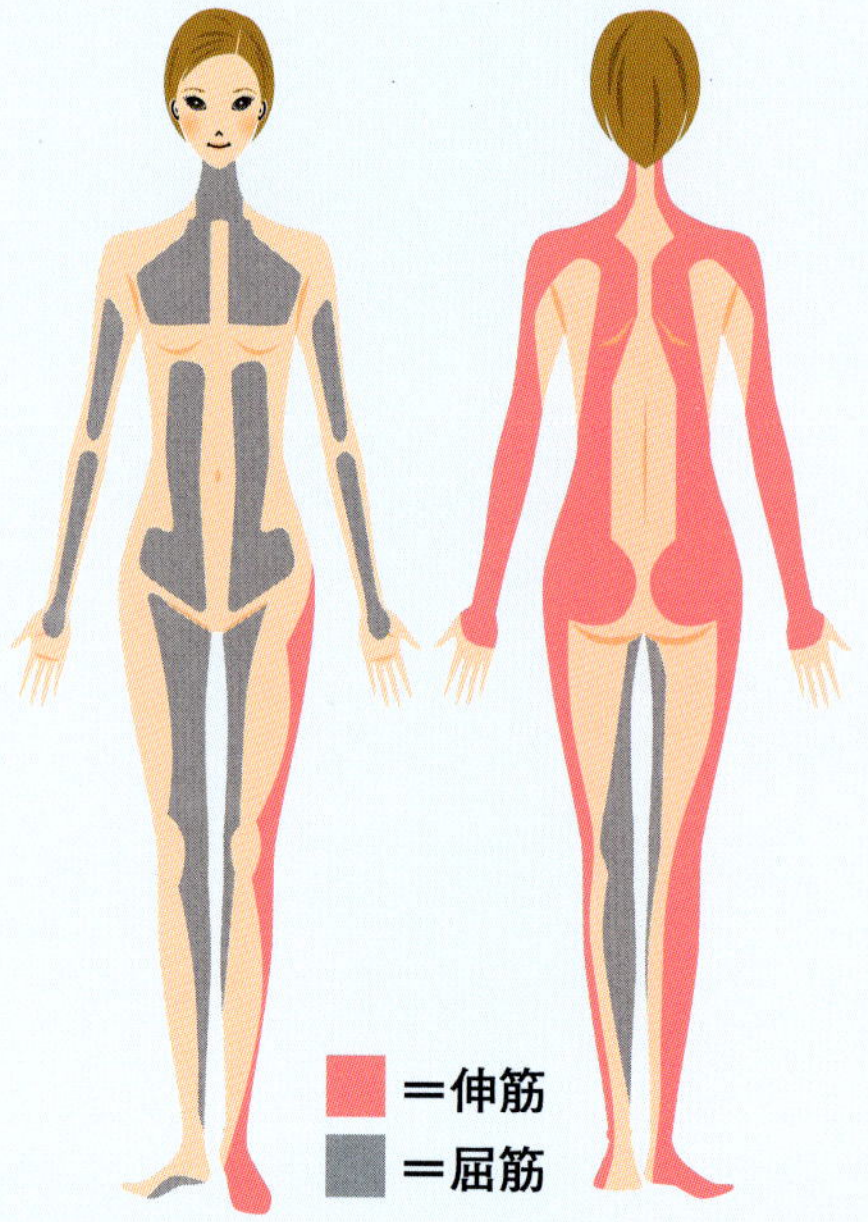

私たち日本人は、屈筋を使う動きが得意で強くなっています。つまり弱いほうの伸筋を鍛えることがバランスをとり、歪みを治すのです。

■前後の歪みと左右の歪み

歪みには前後と左右の歪みがあります。

前後の歪みには、まず腰が前に曲がっている「**腰曲がりタイプ**」があり、このタイプは胃腸が弱い人に多く内臓下垂しやすいため、食べても太ることができません。また筋肉の発達も悪く、体は冷え、腰痛や坐骨《ざこつ》神経痛になりやすく、猫背の人に多いタイプです。

逆に後ろに曲がっている「**反り腰タイプ**」は、食欲旺盛《おうせい》の人に多く、おなかが出ている人に多いタイプです。

左右の歪みは骨盤に現れます。

骨盤が歪むと、背骨や首も歪み、背骨と背骨のクッションである椎間《ついかん》板《ばん》などのすき間もなくなります。そうなると腰痛や坐骨《ざこつ》神経痛、O脚になりやすい。また骨盤が緩んで歪んでくると、ウエストの締まりもなくなり、下半身太りになりやすくなります。

つまり、からだが歪んだり、縮んだりしている人は、美しいプロポーションも健康なからだも手に入れられないのです。

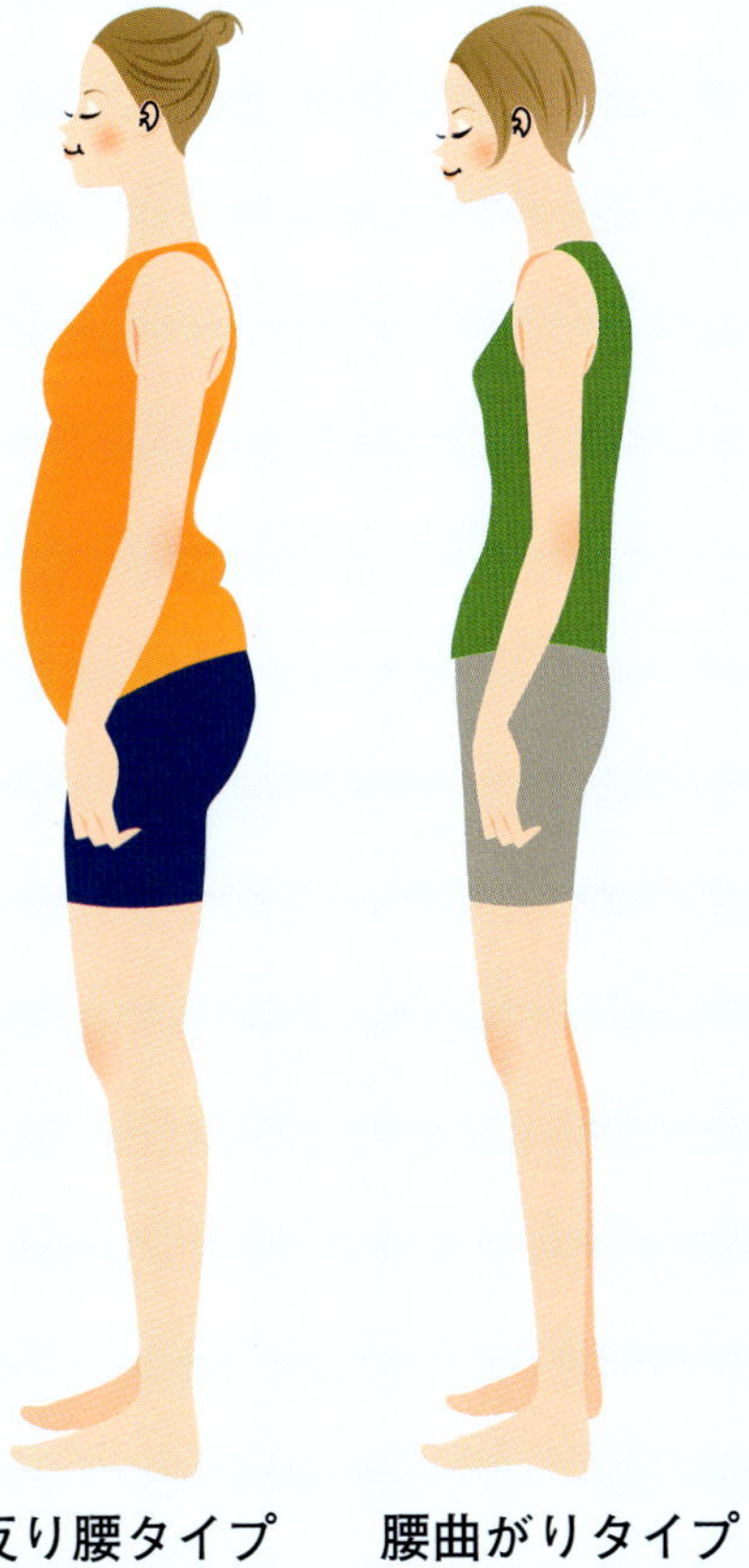

反り腰タイプ　腰曲がりタイプ

老廃物とサヨナラするにはどうするの？

歪んだからだは老廃物を溜《た》め込む

老廃物とは、不要な水分や脂肪のこと。具体的には、**内臓脂肪**や**皮下脂肪**、**筋肉内の乳酸**や**むくみ**、**滞留便《たいりゅうべん》**（宿便）のことです。これらをシッカリと排泄《はいせつ》できないと、凝ったり、こわばったり、むくんだり、便秘や肥満や生理不順に。手・足・顔のむくみやポッコリおなか、下半身太りは不要な脂肪や水分を溜《た》め込んでいる証拠。そして老廃物が溜《た》まりすぎると、病気や肥満、老化になるのです。

老廃物をスッキリ排泄《はいせつ》できれば、コリや痛み、冷えといったものとサヨナラできます。

また、**筋肉が衰えると**贅肉《ぜいにく》という老廃物の**脂肪がつきます**。食物から摂った栄養は血液に運ばれ、まず筋肉に供給してその残りの栄養を脂肪が蓄えます。

毛細血管の通りが良い柔らかい筋肉は、血液の栄養をシッカリと吸収します。反対に毛細血管が老廃物で詰まっている硬い筋肉は栄養を吸収できず、脂肪に流れていってしまうのです。

つまり、老廃物である贅肉《ぜいにく》という脂肪をつけさせないためには、つねに血液をサラサラの状態にすることが大切なのです。

■健康・美容は老廃物を出すことから

これらの**老廃物はリンパ管**というからだの下水道**を使って集められます**。そして、尿や便という形で排泄《はいせつ》されます。

リンパ管を通って集められた体中の老廃物は、滞留便となって腸管で排泄《はいせつ》を待機します。滞留便とは食べ物のカスである通常の便と違い、水と脂が多い緩い便です。

リンパ管が詰まったり、滞留便を排泄《はいせつ》できないと、血液がドロドロになり、コリや痛み、冷え、肌荒れなどになります。

反対にこれらの老廃物をスッキリ排泄《はいせつ》できれば、関節が引き締まります。すると、アゴの周りが引き締まり小顔になる、二の腕のたるみがなくなる、ヒップアップになる、バストアップになる、太もも・足首が細くなる。さらに、温かいからだになり冷え性から解放される。

つまり、**リンパの詰まりを取り除いてやり、それらを排泄《はいせつ》することが健康・美容にとって重要**なのです。

3つのケアでキレイで健康なからだ

ロ自力整体＋整食法《せいしょくほう》＋整心法《せいしんほう》

からだの歪みをとって整体にして、老廃物をスッキリ排泄《はいせつ》すれば健康にもなり、キレイな美しいプロポーションにもなります。

それを実現するのが、この本で紹介する自力整体、整食法《せいしょくほう》、整心法《せいしんほう》です。**自力整体はボディケア**を行い、**整食法はストマック（内臓）ケア**、**整心法はメンタルケア**を行います。

これらの**最大の目的は脱力した睡眠（＝熟睡）**を促して自然治癒力を強くし、睡眠中にからだのメンテナンスをすることです。

完全に脱力した熟睡は、疲れを癒したり、傷ついた部分を修理したり、歪んだ骨格を整体にしたり、老廃物を回収したり、便を作ったり、胃や腸を引き締めたり、つらい・不快な記憶を忘れさせてくれます。

ではそれぞれを詳しく説明していきましょう。

ロ自力整体（ボディケア）

自力整体の目的は次の3つです。

①疲労物質である乳酸の回収と排泄《はいせつ》を行っ

て**筋肉や関節をクリーニングする**

②歪んだ骨格を整体にする

③正しい・美しい姿勢を維持し、**キレイなスタイルやプロポーション**を提供する

緊張したり使いすぎることで、疲れて縮んだ筋肉や関節は疲労物質である乳酸を発生します。この乳酸はリンパ管や毛細血管を詰まらせ血液をドロドロに汚します。

自力整体はこの老廃物である乳酸を回収するため、縮んでいる筋肉に体重を使って指圧したり、ねじったり、伸ばしたりして圧力をかけます。

数十秒後にその圧力を解放すると、リンパ管や毛細血管の詰まりがクリーニングされ、サラサラ血液になります。

その結果、筋肉が柔らかくなって脱力するので、熟睡中に歪んだ骨格をもとの正しい位置にリセットします。そして、骨盤の周辺にある筋肉、とくに伸筋《しんきん》が引き締まり、整体された健康で美しいからだができあがるのです。

鍛えた筋肉については、20頁に詳しく説明しましたので、そちらを参照してください。

□整食法（ストマック【内臓】ケア）

整食法の目的は次の3つです。

①むくみや便、筋肉のコリの原因である乳酸や贅肉《ぜいにく》、内臓脂肪などの**老廃物の排泄《はいせつ》**と、それによる**適正体重の維持**

②**自律神経の調整と強化**

③**自然治癒力のサポート**

熟睡中の自然治癒力は、全身の筋肉が完全に脱力されていないと行われません。それには胃が眠っていることが必要です。

胃の消化時間は通常5、6時間かかりますので、眠ると同時に自然治癒の活動に入るには、**就寝時点での空腹は大切**です。

また、この空腹での睡眠や自力整体によって集めた老廃物の滞留便も、体外に排泄《はいせつ》できなければ意味がありません。

朝起きてすぐに出る通常の硬い便と違い、2回目に出る水分の多い下痢《げり》状の便が滞留便ですが、この滞留便は朝食を摂ると排泄《はいせつ》されません。そのため、滞留便の排泄《はいせつ》を妨げてしまう**朝食は食べないようにします**。

その他自律神経に沿って、空腹のまま仕事をする、炭水化物とタンパク質は一緒に食べない、薄味にする、という方法を合わせた食事法が整食法です（詳しくは94〜99頁を参照）。

□整心法（メンタルケア）

整心法の目的は、**精神的ストレスの緩和と脳の疲労・老化の防止**です。

こころのとらわれやこだわり、また先入観からの解放は、脳神経を脱力させます。脳の脱力は、内臓や筋肉の脱力につながるので、老廃物の排泄《はいせつ》にも重要です。

また、こころとからだはつながっているもの。「健康になるんだ、キレイになるんだ」というイメージは不可欠です。

だから、整心法は自力整体や整食法とセットでやってください。

具体的には、心配性と上手につきあう方法やストレスを忘れる方法など、硬くなってしまった気持ちやこころを解放して脱力する方法を紹介しています（詳しくは100頁を参照）。

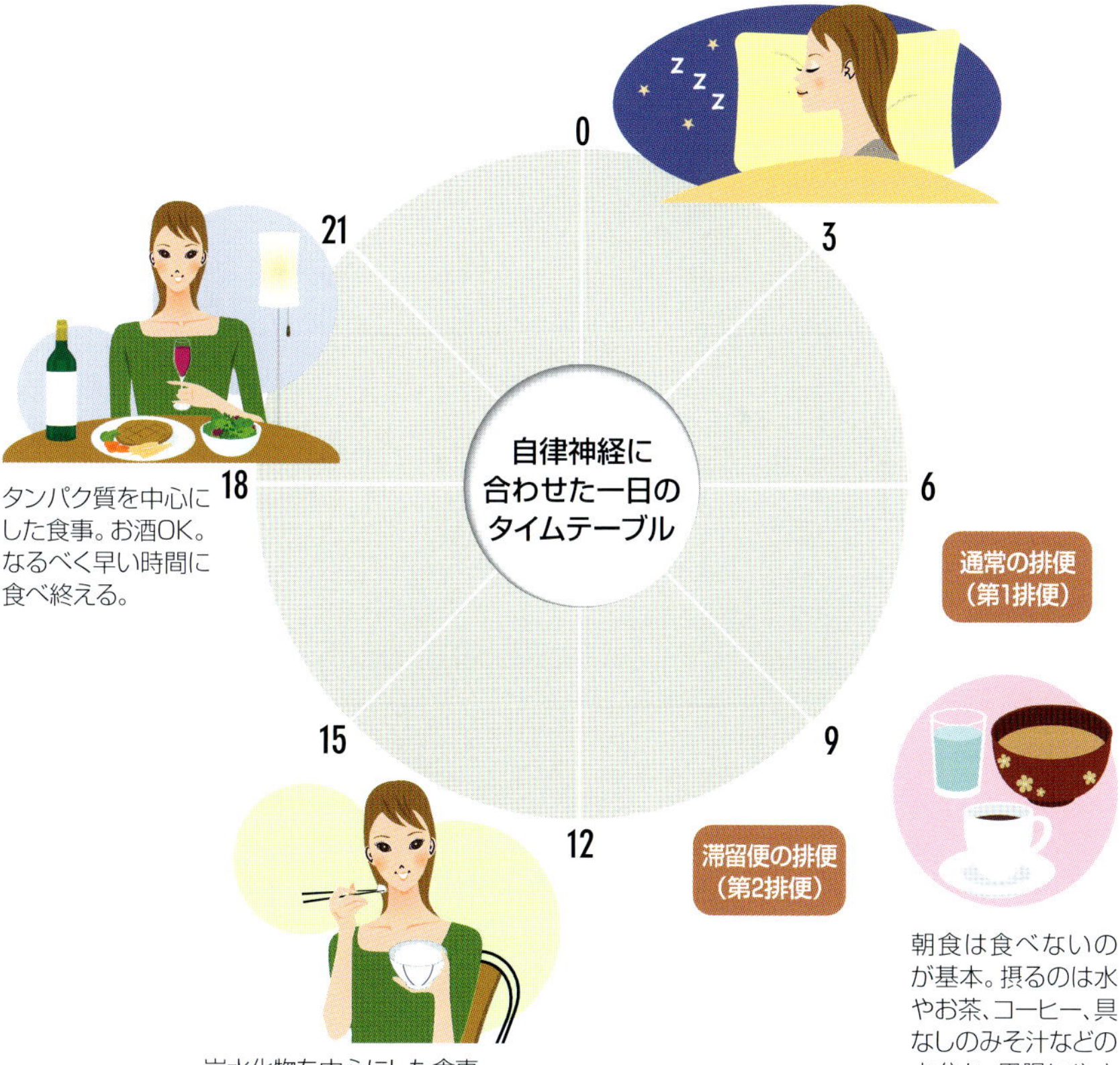

朝食は食べないのが基本。摂るのは水やお茶、コーヒー、具なしのみそ汁などの水分か、胃腸にやさしいおかゆなど。

炭水化物を中心にした食事。炭水化物8、タンパク質2の割合程度。

タンパク質を中心にした食事。お酒OK。なるべく早い時間に食べ終える。

健康な正しい姿勢と筋トレはどんな関係があるの？

■内臓筋肉と姿勢を正す筋肉を鍛える

筋肉にはからだを曲げるための屈筋《くっきん》（おもに白筋《はっきん》）と、姿勢を正すための伸筋《しんきん》（おもに赤筋《せっきん》）があると12頁で説明しました（白筋と赤筋は44頁参照）が、実は胃や小腸、大腸で食べ物をからだに送り出す内臓筋肉というものもあります。

私たちは「健康のために筋肉を鍛える」というと、運動する筋肉を鍛えることだと思いがちです。しかし、これは間違い。運動や労働をする筋肉は屈筋がメインに使われますが、本当は**健康のために鍛えなければいけないのは、内臓筋肉と姿勢を正すための伸筋**です。

では、以下に正しい姿勢と健康の関係を紹介しましょう。

■内臓筋肉を鍛えて正しい姿勢を

内臓が使われすぎると、当然、内臓筋肉は疲労して緩みます。すると排泄《はいせつ》が悪くなって、大腸に老廃物が溜《た》まって下垂します。その結果、内臓を包んでいる腹膜《ふくまく》が下に引っ張られ、腹膜《ふくまく》をぶら下げている肋骨《ろっこつ》も下がります。

肋骨《ろっこつ》が下がると肩や首の筋肉が引っ張られ、その部分にコリが発生したり猫背になります。**猫背は内臓全体を下垂**させますので、骨盤を圧迫して骨盤を引き締める筋肉が緩んでO脚になり、悪い姿勢になるのです。

内臓筋肉が緩むイチバンの原因は、**内臓の休息時間が短いこと**ですので、これを解消しなければなりません。

先ほど紹介した整食法は、空腹での睡眠と朝食抜きというルールがありますので、内臓の休息時間をたくさんとれます。すると、内臓筋肉は収縮力が高まり、結果、内臓も下垂しません。

■伸筋を鍛える前にまず屈筋をほぐす

次に正しい姿勢を維持するためには、伸筋を**鍛えることが重要**です。

姿勢を正している行為が伸筋を鍛えることになるのですが、運動や労働をする屈筋が凝って硬くなっていると、それが邪魔をしてすぐに疲れてしまうのでその姿勢が長続きしません。

したがって、**屈筋をほぐして脱力することが必要**で、それを助けるのは自力整体です。

また、姿勢を維持することは、脂肪を燃やしますので、ダイエットにも最適です（44頁参照）。

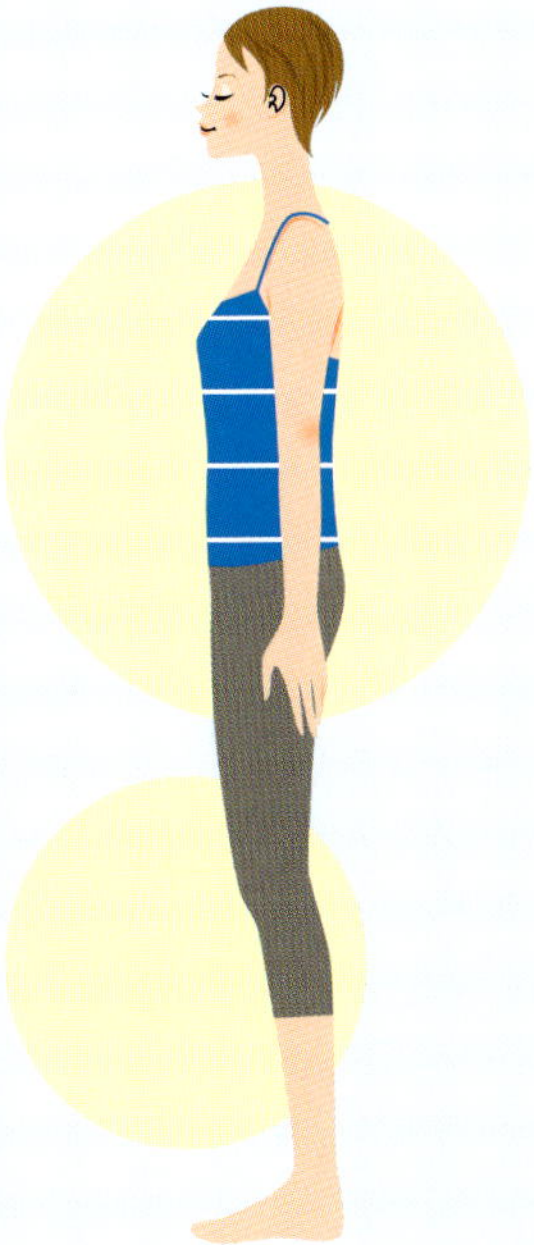

からだの歪みチェック

実際にからだの歪みをチェックしてみよう！

頸《けい》椎《つい》の歪みチェック

首が曲がらないほうがコリがあり歪んでいる。

右を向く

左を向く

骨盤の歪みチェック

横座りで左右どちらかが座りにくい場合は骨盤が歪んでいる。

左の横座り

右の横座り

下半身の歪みチェック

左右の差があれば歪んでいる。

うつぶせになって脚を大きく広げ、ヒザを曲げ、両手の上に左頬をつけ、脚を左に倒して左足の小指を床につける。

両手の上に右頬をつけ、脚を右に倒して右足の小指を床につける。

外股《そとまた》・内股《うちまた》チェック

外側に開いて内側に閉じない場合は外股《そとまた》。内側に閉じて外側に開かない場合は内股《うちまた》。

ヒザを伸ばして座り、小指を床につけるように。

親指を床につけるように。

股《こ》関節《かんせつ》(骨盤)の歪みチェック

開きにくいほうの骨盤が歪んでいる。

あぐらをかくように座り、足の裏を上に向ける。

足の裏を上に向けたまま、からだに引きつける。

反り腰チェック

起きあがれない人は反り腰で、おなかが緩んでいる。

右側も同様に行う

①左ヒザを持ち、ヒジを伸ばしてアゴを引く。

②腰を床につける背中をつけない。

③勢いを使わずに、ヒザを前に押し出して起き上がる。

猫背（腰の前曲がり）チェック

手、背中、お尻のいずれかが浮く人は腰が前曲がりの人。

注意!

ヒザに痛みを感じる人は絶対にやらないでください。

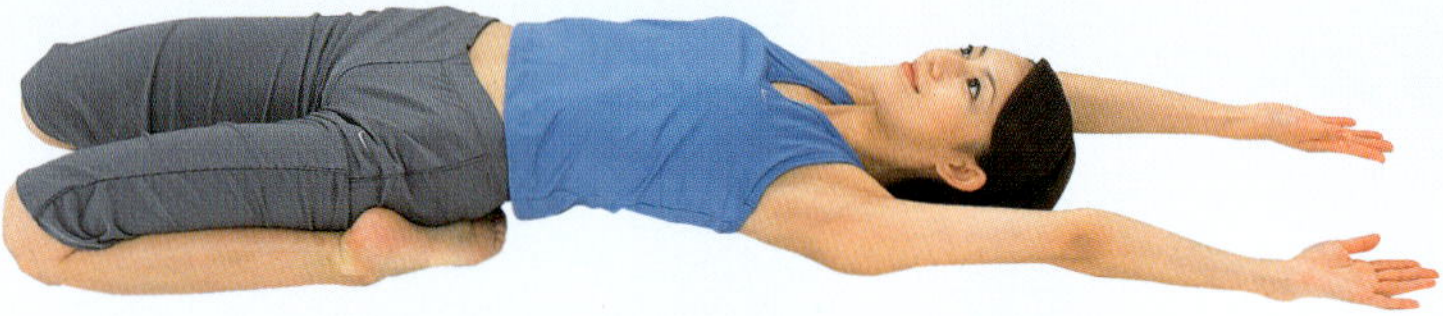

正座をして、両足を外側にずらしてお尻を床につけ、手を上げる。

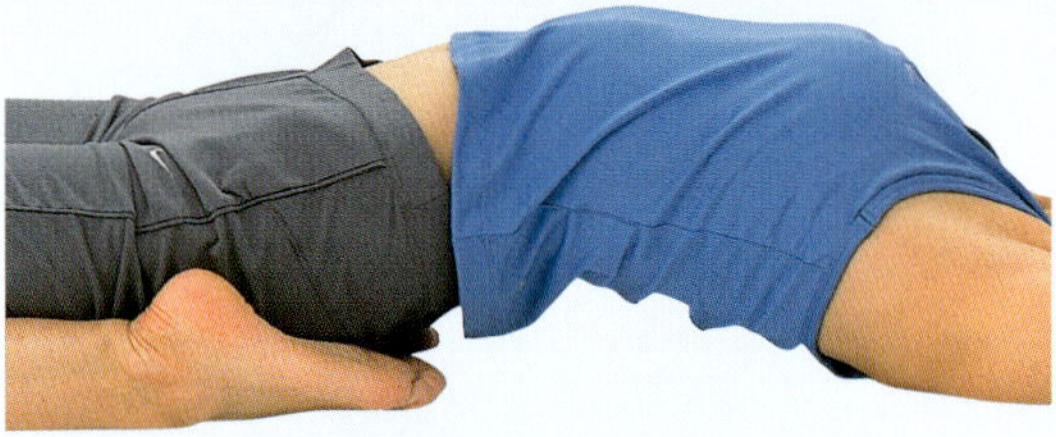

手、背中、お尻を床につけようとする。

Part 2

不調、痛みが治る!
キレイなからだになる!

自力整体を行うときにこれだけは気をつけよう！

その1 気持ち良く！

「気持ちいい～」と感じながらやってください。刺激も絶対に痛くしてはいけません。刺激が強すぎると筋肉の筋《すじ》を痛めてしまいます。冷えた筋肉はケガのもとにもなります。オススメは、お風呂に入ってから。

その2 必ず空腹で！

基本的には何時にやってもかまいません。胃の中に食べ物があると血液が消化にとられ、筋肉に十分な血液が回りません。すると気持ち良くもないし、筋肉の筋《すじ》を痛める原因にも。

その3 暖かい部屋で！

筋肉をほぐすとからだが温かくなり、それが毛細血管やリンパ管の詰まりをとります。ところが部屋が寒いと、からだが冷えてしまう。

その4 ゆったりした服装で！

ゆったりしたからだを締め付けない服装で行ってください。ゴムのきつい服装は血液の流れを邪魔してしまい、効果も半減。

その5 からだに集中！

ほぐしている部分に集中して行ってください。気持ち良さが倍増します。より集中できるよう静かな部屋に。部屋の電気を暗くすることもオススメ。

反対に集中しないと筋肉を痛める原因になります。

その6 揺すって満遍なく刺激！

からだの奥深くまで刺激を与えることが大切。それにはゆっくり時間をかけて、揺すって満遍なく刺激を与えます。

また脱力も重要。筋肉の力ではなく自分の体重を使って、ゆっくり呼吸をしながら脱力して行いましょう。

その7 週2回以上！

自力整体は週に2回はやってください。

Ｐａｒｔ 2で紹介する症状別の自力整体は、気がついたときに行いましょう。Ｐａｒｔ 3の一連に行う自力整体と両方を併用すると効果が大幅にアップします。

その8 踏み込みして正座

Ｐａｒｔ 3の実技の途中に入る「踏み込み」の後の「正座」や「休憩」は大切です。

踏み込みと正座（休憩）のとき血液が体中に回ります。そのときほぐした部分の老廃物が浄化され、代わりに新しいキレイなサラサラ血液が回ってくるからです。

元気で健康なからだをGET!

肩コリ、頭痛が治る

マッサージをしても奥のほうのコリがほぐれないと感じることはありませんか？　実は、私たちが感じる肩コリは三層からなっています。

表面は「**筋肉疲労による肩コリ**」。その下の筋肉郡のコリは、消化能力が低いときの食べ過ぎが招いた「**内臓疲労の肩コリ**」。一番深い部分のコリは、ストレスなどがあって熟睡できないために起こった「**神経疲労の肩コリ**」です。

筋肉疲労のコリは、自力整体で肋骨《ろっこつ》と骨盤の間をほぐして広げるとなくなります。

内臓疲労のコリの取り方は、滞留便を排泄《はいせつ》すること。それにはまず空腹で眠り、次の日の朝も水分以外の朝食は摂りません。すると滞留便が出てコリがほぐれます。このとき自力整体で骨盤の歪みを整えておかないと滞留便は出ませんので要注意。

最深層の神経疲労のコリは、ストレスをなくし、神経圧迫から解放されて熟睡ができるようになるとなくなります。

頭痛は、首の歪みや胃の疲れから起こります。首の歪みやコリは、肩コリと同じように胸郭《きょうかく》を引き上げてやるとなくなります。

胃の疲れによる頭痛は、甘い物を食べ過ぎて胃が硬くなって、それが首の緊張を引き起こしてなります。ひどくなると吐き気をともないます。すべて嘔吐《おうと》し、大量の排便で老廃物を排泄《はいせつ》するとからだは回復します。

●肩コリ、頭痛には●

A 胸郭《きょうかく》広げ

脚を腰幅に開き、頭の後ろで中指同士を組み、

左脚に重心をかけ、左ヒジを持ち上げる。

POINT

肋骨を持ち上げるように

右脚に重心をかけ、右ヒジを持ち上げる。

左脚に体重をかけ、左方向へひねっていく。

POINT

反対側のつま先で少し床を蹴りながら、胸を開く感じで。

右脚に体重をかけ、右方向へひねっていく。

頭から遠くへ中指を離し、頭と手の間を開く。

POINT

肩甲骨を締めながら下ろす。

中指を離し、ゆっくり大きく輪を描くように腕を下ろす。

その他のオススメ

●頸椎の揺すりほぐし 54頁 1-5

●背中から腕のコリほぐし 60頁 1-11

元気で健康なからだをGET!

腰痛、坐骨神経痛が治る

腰痛や坐骨《ざこつ》神経痛のイチバンの**原因は、睡眠前の食事と起床後の朝食**です。

胃に食べ物を入れたまま睡眠に入ると、食べ物の重みから胃が下垂します。下垂した胃は腰を圧迫します。また満腹睡眠は、睡眠中に行う骨格矯正の作業を妨げるので、骨盤が歪んだままになってしまい腰痛を引き起こします。

一方、朝食を摂ることは滞留便の排泄《はいせつ》を邪魔します。滞留便は、朝起きて出る通常の硬い便が出た後、モチリンというホルモンの働きによって排泄《はいせつ》されます。ところが朝食を食べるとモチリンの働きが止まってしまい、滞留便が排泄《はいせつ》できなくなってしまうのです。その結果、大腸に滞留便が溜《た》まって下垂し、その圧力が骨盤を歪ませアンバランスを引き起こし、腰痛へと向かうのです。

ちなみに老廃物が溜《た》まっている側の手・脚などは太くなり、引きつっている感じがし、足のカカトがザラザラになっています。

また、女性の場合は生理が関係します。生理前は骨盤を支えている仙腸関節《せんちょうかんせつ》が緩むため骨盤は歪みやすく、結果、腰痛になりやすいのです。

つまり、**腰痛は排泄《はいせつ》がシッカリできないこと**と、**暴飲暴食、そして就寝前の食事が原因**です。ということは、**睡眠前後6時間は食事をしない**ことと、**骨盤の歪みを整える**こと。この2つが腰痛とサヨナラするためのコツです。

●腰痛、坐骨《ざこつ》神経痛には●

B 開脚屈伸

POINT

右のカカトを床につける。

左脚を伸ばしてしゃがみ、左手で股関節をマッサージする。

両手をヒザに置き、ゆっくりと立ち上がり、状態を前に倒し、

右ヒザに右肩を入れて股関節を伸ばすと、より効果アップ。

きつい人は手を床について行う。

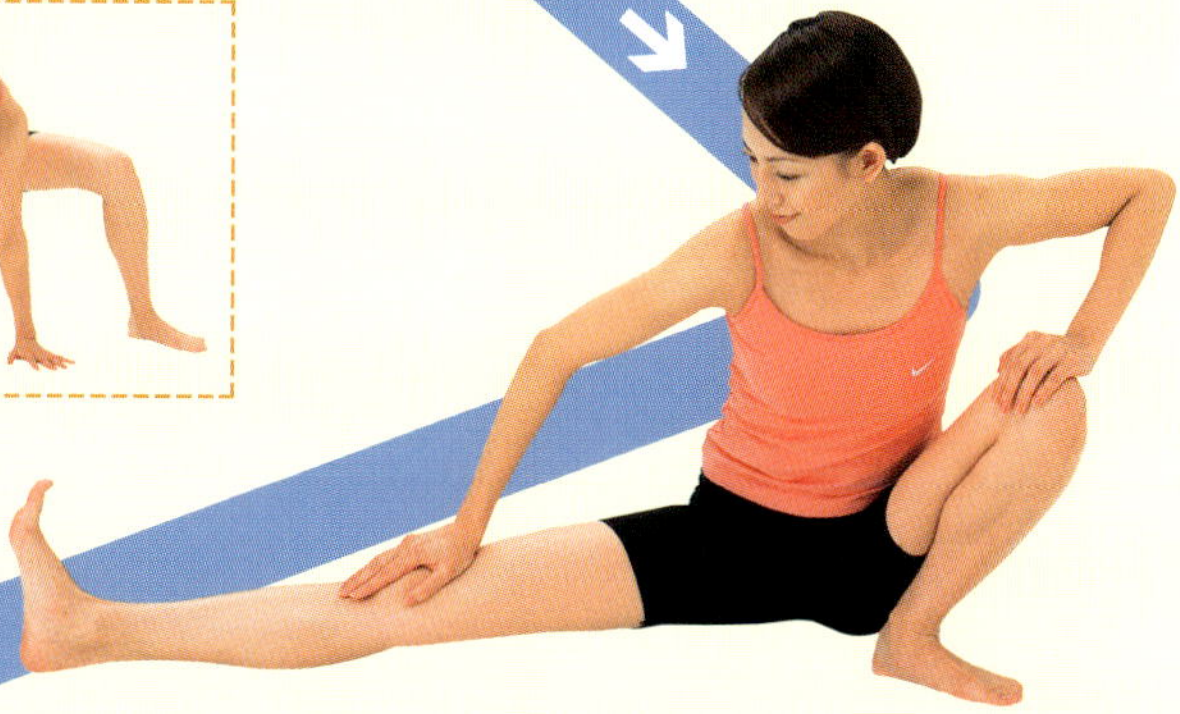

左脚を曲げ、右脚の股関節をマッサージする。左右を交互に数回繰り返す。

左ヒザに左肩を入れて股関節を伸ばすと、より効果アップ。

その他のオススメ

●腰髄神経ほぐし ≫ 76頁 2-7
●片側の骨盤引き締め ≫ 83頁 2-12

元気で健康なからだをGET!

冷え性が治り、むくみがなくなる

冷え性は、からだに老廃水分が溜《た》まることが原因です。からだの中に余分な水分があると、からだの熱を奪ってしまいます。これが「冷え」という症状。**「むくみ」は余分な水分が、毛細血管などに詰まって溜《た》まっている状態**です。

体温を発生させるのは筋肉ですから、筋肉の量が少ないとからだは冷えます。また、水分をリンパ管に運んで捨て、むくみなどを循環させて排泄《はいせつ》するのも筋肉です。

つまり冷えをとる方法は、**筋肉を増やして動かして毛細血管の働きを促進すること**が大事。

そしてこれには自力整体がイチバンです。

また、果物などの甘い物はからだを冷やします。もともと熱帯地方で採れる果物は、その地域に住む人々の体温を下げる働きがあるためです。

だから冷え性の人は、甘い物を控えること。とくに夕方以降は人間の体温は下がるためNGです。しかし、冷え性の人は甘い物好きが多いのも事実。どうしても我慢できないときは、体温の高い日中に食べるようにしましょう。

また、夜に炭水化物を食べることも冷えの原因になります。炭水化物は、からだの中で分解されると二酸化炭素と水になるのです。

つまり**甘い物や炭水化物は、体温が高い日中に食べること**が、水分を溜《た》めないことにつながるのです。

●冷え性、むくみには●

C そんきょ(蹲踞)

POINT

足首やアキレス腱に刺激を感じるように。

つま先立ちでしゃがみ、手はヒザに置き、両ヒザを大きく開き、上下にバウンドする。

上下にバウンドしながら両ヒザを閉じていく。

閉じたところでもバウンドを続ける。開いたり閉じたりを3～5分間行う。

その他のオススメ

●脚ほぐし 70頁 2-1
●足の裏踏み 71頁 2-2

元気で健康なからだをGET!

便秘が治る

便秘のイチバンの**原因は自律神経の狂い**です。したがって繊維のものを食べたり、運動をしてもそれほど効果は期待できません。

便を出すための神経はエネルギーの発散や活動を行う「交感神経《こうかんしんけい》」で、便を作る神経は休息や睡眠の命令を出す「副交感神経《ふくこうかんしんけい》」です。

便は眠っている間に副交感神経の命令を受けて作られます。それも空腹のときにです。ですから、まず便を作るため、**空腹での睡眠をシッカリとる**ことが大切。

次は交感神経の出番です。交感神経は、起床後にその作られた便をからだの外へ排泄《はいせつ》する命令を出します。交感神経をシッカリ働かせるのは、**リズミカルで規則正しい生活**です。たとえば、毎日起床後に散歩をして便意を促したり、毎日出社後すぐにトイレにいく、といった習慣づけです。からだに排便をしつけるのです。

また、排便についてたくさんの人が勘違いしていることがあります。「たくさん食べたら、たくさん出る」という、ところてん的発想です。

本当は**たくさん食べるほど便は出なくなります**。排泄《はいせつ》をするには、血液を排泄《はいせつ》促進に使わなければなりません。しかし朝食を摂ったり、夜遅く食べると、消化に血液がとられて排泄《はいせつ》に血液が回らなくなるのです。ですから、整食法が薦める最適食事時間（12時～18時）以外に食べる人は便秘になりやすくなるのです。

●便秘には●

D お尻、裏もも刺激

POINT
両ヒザをくっつけるように。

両脚を伸ばして座り、上半身を曲げながら腰を揺すりほぐす。

左脚を曲げて右脚の上に乗せ、右手で左足を、左手で右足を握る。

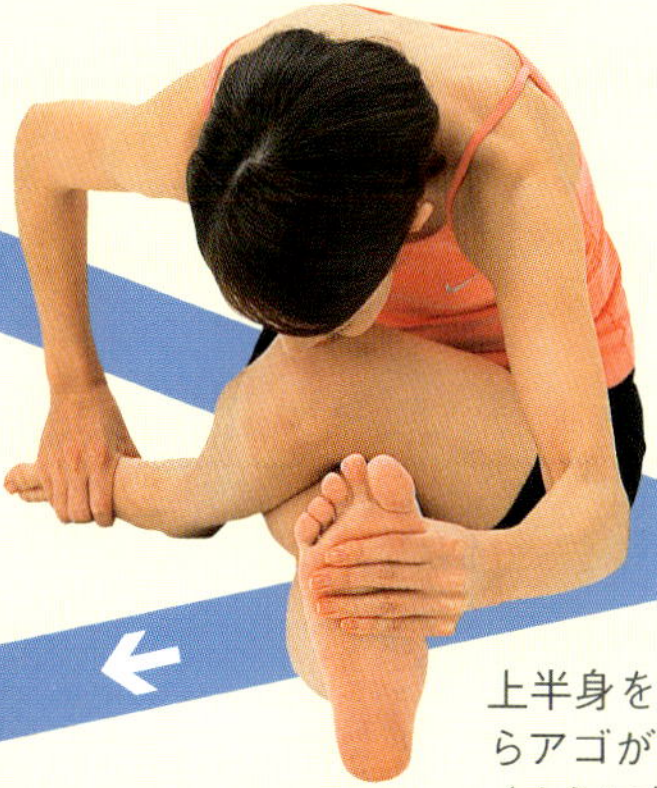

上半身を揺すりながらアゴが左ヒザにつくように曲げていく。

伸ばしている右脚を曲げ、両ヒザが重なるようにしてお尻を下ろし、

お尻を左右に揺すって刺激を与える。

お尻が浮かないようにしながら、上半身を前に曲げていく。
からだを揺すりながらお尻の筋肉を刺激する。

反対側も同様に行う

その他のオススメ
- 腸腰筋ほぐし ≫ 50頁 1-2
- 腰髄神経ほぐし ≫ 76頁 2-7

理想のプロポーションをGET!

バストがアップする

胃腸が弱い人は猫背の人が多いものです。猫背は前屈《まえかが》みの姿勢ですので、バストを小さく見せてしまいます。

胃腸が弱い人は、内臓の消化機能が低いので食べ過ぎるとすぐに胃腸が過労します。胃の疲労は腹筋のコリや縮みを生み、背骨を伸ばそうとしてもそのコリに引っ張られて伸びません。すると、肋骨《ろっこつ》が下がって猫背になります。

猫背は胸の筋肉や肩甲骨の筋肉の収縮を邪魔するので、正しいキレイなバストアップされた姿勢が維持できないのです。

胃腸を治すには、**胃腸の休息時間を多くすることが大切**。まず空腹で睡眠し、朝食は食べずにお昼まで水分のみで過ごしてください。また胃は炭水化物とタンパク質を同時に消化できませんので、分けて食べることで胃の負担を軽くしてあげます。さらに食事中はなるべく水分を控え胃液を薄めないようにしましょう。

これを2週間くらい続けます。すると大量の排便があり、おなかがスッキリと軽くなります。その結果、姿勢が良くなり、胸が大きく開き、腰が伸ばせるようになります。

そして**自力整体で胸郭《きょうかく》を広げて肩関節を柔らかくし、肋骨《ろっこつ》を引き上げると胸囲が大きくなりバストアップする**のです。姿勢が良くなると呼吸も楽になり気持ちが良い。また胃弱な人は冷え性になりやすいので要注意。

●バストアップには●

E 肩甲骨ほぐし

POINT

ヒジは直角に保つ。二重アゴの解消に効果あり。

四つんばいになり、両手を内側に向けて大きく息を吸い、

ゆっくりアゴを床につけ、のどを伸ばす。

四つんばいに戻し、両ヒザを閉じ、

床に頭をつけ、頭を床スレスレでバウンドさせる。

息を吐きながら50回〜100回バウンドする。

その他のオススメ

●わき伸ばし 57頁 1-9
●背中から腕のコリほぐし 60頁 1-11

理想のプロポーションをGET!

ウエストが細くなる

ウエスト太りには、おなかがポッコリ出ている幼児体型の「**内臓脂肪タイプ**」、妊婦のような反り腰が特徴の「**皮下脂肪タイプ**」、そして、全体的にそれほど太っていないのに下腹部だけが出ている「**内臓下垂タイプ**」があります。

内臓脂肪タイプは男性に多く、おなかが出ているのにその贅肉《ぜいにく》が手でつかめないのが特徴です。反対に脂肪がつかめるのが皮下脂肪タイプ。このタイプは女性がなりやすくなっています。次の内臓下垂タイプは、一見スリムなのに裸になると下っ腹だけ出ているのがわかる人です。

内臓脂肪タイプは、食べ過ぎが主な原因ですから、食べ過ぎに注意しながら整食法をキチンと行うことがイチバンです。

女性に多い**皮下脂肪タイプは、筋力が低下して体温が下がっていることと、骨盤が歪んでいることが原因**。このタイプには食事ダイエットの効果は期待できません。社交ダンスをしているときのように、いつも肋骨《ろっこつ》を上げた姿勢を心がけると効果があります。また女性は脳が体温を左右するのでこころが重要。「心地いいな〜」と思えると体温はアップします。高い体温は皮下脂肪を自然に燃やすので、心持ちが大切です。

内臓下垂タイプも女性に多いタイプ。これは大腸が下垂して**大量の滞留便が溜《た》まることから起こります**。整食法と自力整体で老廃物である滞留便を徹底的に排除してください。

●ウエストには●

F うつぶせ骨盤揺すり

POINT

おなかやのどが
伸びるように。

うつぶせになり脚を大きく開いてカカト同士をつけ、両ヒジをつき上半身を持ち上げ、前後左右にお尻を揺する。

POINT

生理痛や生理不順、
腰痛にも効果あり。

POINT

できるだけ右足の小指
が床につくように。

両手を重ねその上に右頬を乗せ、両足首を右に倒し腰を揺らす。

反対側も
同様に行う

その他のオススメ

●反り腰矯正 82頁 2-11
●左の骨盤矯正 79頁 2-9

理想のプロポーションをGET!

太もも、足首が細くなる

太ももが太いのも、足首が太いのも、ももが内側にねじれている内股《うちまた》が原因です。

太ももの筋肉が前へねじれているということは、脚の脂肪が前のほうに寄ってきていることを意味します。すると、歩き方も足の裏全体で着地する不自然な歩き方になります。

正しい歩き方はカカトから着地する歩き方ですが、内股《うちまた》の人はそれができない。結果、足首も太くなってしまう。

そして**内股《うちまた》の原因は骨盤の歪み**なので、内股《うちまた》の人は骨盤を支える仙腸関節《せんちょうかんせつ》を引き締める筋肉が弱っているということです。

つまり、仙腸関節を支える**お尻の筋肉をシッカリさせることが大切**になります。また、太ももを外側にねじる動作も効果的です。

内股《うちまた》を治し、お尻の筋肉を鍛えるには次頁の自力整体が効きます。整食法を実践して胃腸の負担を軽くしてあげることも重要です。胃腸が疲れると内臓全体が下垂して骨盤を歪ませる原因になるからです。

歩き方もカカトから着地するよう心がけましょう。

また、足首が太くむくんでいるということは、足首周辺の毛細血管が詰まって老廃水分が溜《た》まっている証拠。老廃水分は冷え性の原因ですから、**足首周辺を意識的に動かし温かくする**ことが改善・予防に役立ちます。

●太もも、足首には●

G 脚の前後屈伸

片ヒザ立ちになり、
脚を前後に開き、

両手を前脚のヒザに置き、前脚に体重をかけ足首にプレッシャーをかける。

POINT

ヒザは無理に伸ばさない。後ろ脚のヒザを少し斜めにするとやりやすい。

手を床につき、曲げていた脚を伸ばし、

伸ばしたヒザに上半身の体重をかけていく。

反対側も同様に行う

その他のオススメ

●脚ほぐし 70頁 2-1
●足の裏踏み 71頁 2-2

POINT 前足のつま先は床につけたまま行う。

理想のプロポーションをGET!

ヒップアップしたお尻になる

ヒップが垂れ下がる**原因は、ももが内側にねじれる内股《うちまた》**です。前項でもいいましたが、この内股《うちまた》は太ももを太くし、足首もむくませます。

内股《うちまた》になると、ヒップの上のほうの筋肉が少なくなります。すると、ヒップが垂れ下がっているように見えます。また、ヒップの筋肉が衰えると骨盤を支えている仙腸関節《せんちょうかんせつ》が緩みますので、実際にヒップも下がってしまいます。結果、カッコ悪いヒップのできあがりです。

ヒップアップしたカッコイイお尻になるには、立ち方が鍵です。**カカトをくっつけてつま先を開き、太ももを外側にねじるようなイメージで、お尻の筋肉を肛門のほうに力を入れ**てみてください。ヒップアップして、ヒップ全体が腰に近い感じがわかると思います。この立ち方が大切。ただしこのとき、腰を反らせようとしてはいけません。これは勘違い。ヒップの筋肉はお尻の割れ目のほうに閉じていく、というイメージが重要です。

骨盤の歪みをとることも忘れてはいけません。お尻の筋肉の強化はヒップアップには大切な要素ですが、骨盤が歪んだまま筋肉を強化すると歪んだまま固まってしまい、かえって悪影響を与えるときがあります。したがって、自力整体をシッカリと行い骨盤の歪みを正すことは、立ち姿を意識することと一緒に行ってください。

●ヒップアップには●

H お尻の持ち上げ骨盤締め

あおむけになり、両ヒザを曲げてカカトをお尻に近づけ、

POINT
ヒザが開かないように。

お尻をゆっくりと持ち上げる。

一度お尻を下ろし、再びゆっくり持ち上げ、右ヒザを胸に引きつけ、

POINT
お尻が下がらないようにさらに上げる。

天井に向かって上げる。

反対側も同様に行う

その他のオススメ
●股関節ほぐし 72頁 2-3
●片側の骨盤引き締め 83頁 2-12

自力整体はダイエット効果もバツグン！

老廃物を出せば健康なダイエット

自力整体整食法はからだの老廃物である内臓脂肪や皮下脂肪、筋肉内の乳酸、むくみや滞留便といったものを徹底的に排泄《はいせつ》するのが目的です。そのため、ダイエットにもバツグンの効果がありますし、肌もキレイになります。

具体的には上の図の通りです。

1. 老廃物を排泄《はいせつ》するので痩《や》せる
   ↓
2. たるんだ部分の贅肉《ぜいにく》がとれメリハリボディになる
   ↓
3. 筋肉が育ち冷えがなくなる
   ↓
4. 皮下老廃物がなくなるのでシミやソバカスが消え、肌にハリが出る。さらにカカトのザラザラもなくなる
   ↓
5. 皮下老廃物がなくなるので体臭が少なくなる
   ↓
6. 整体になるのでキレイな姿勢になる

脂肪を燃やす赤筋を鍛える

からだを動かすとき、素早い動きをするときに使う筋肉と、ゆっくりした動きや姿勢を維持するときに使う筋肉は違います。前者を「白筋《はっきん》」といい、おもに屈筋《くっきん》にあります。後者を「赤筋《せっきん》」といい、こちらはおもに伸筋《しんきん》にあります。

最近の研究で、これらの筋肉のエネルギー源が明らかになりました。**白筋は血液中の糖分をエネルギー源として使い、赤筋は脂肪を燃やして活動する**という研究結果です。

これまでは激しい運動やジョギングなどで、汗をかいてカロリー消費することが痩《や》せるために有効だと考えられていました。

しかし、これは糖分をエネルギー源とするため、痩《や》せるというより疲労してしまう。運動後は、消耗した糖分をからだが欲するため食欲がわきすぎてしまいます。結果、食べ過ぎるということが起こりがちでした。また、からだも栄養を急速に吸収するので、先に吸収する筋肉だけではその栄養を消化しきれず、脂肪へ蓄えられてしまいます。

反対に姿勢を伸ばすときに使う赤筋は、エネルギー源として脂肪を燃料にする。結果、皮下脂肪や体内脂肪がなくなります。つまり**ダイエットのためには、脂肪を燃やす赤筋を積極的に使うことが近道**で、姿勢をまっすぐにしているときこそ、その効果が現れるのです。

姿勢をまっすぐにするというと、肩に力を入れて胸を張ろうとする人が多いと思いますが、そうでありません。キレイな正しい姿勢とは、肋《ろっ》骨《こつ》を持ち上げる意識が大切で、逆に肩の力は抜

くようにします。この姿勢を長時間続ければ、またたく間にウエストの贅肉《ぜいにく》は落ちていきます。

ロプロポーションよりコンディションへ

私は、**ファッション業界とプロポーション業界は、世の中の女性に精神的ストレスを与えている**と考えています。

健康にほど遠い体型のモデルが、ファッション雑誌や街の広告に氾濫《はんらん》しています。そしてその姿が正常な美しさであると、世の中の女性たちに訴えかけ、劣等感を感じさせています。それが精神的なストレスを与えているし、その体型を目指すため摂食障害やリバウンドからの肥満を生んでいます。

人には遺伝子というものがあります。遺伝子に反した体型を作ることは、健康を害する元凶です。モデルの中には、あの体型になるため無理なことを続け、結果、肌がくすんでシミができたり、生理不順に悩んでいる人が多い。

つまり、よけいな贅肉《ぜいにく》を落とすことは構いませんが、遺伝子を超える体型は作ってはいけないのです。

自力整体整食法は、よけいな贅肉《ぜいにく》をなくし遺伝子にあった**最大限のプロポーション**と、なにより**最高のコンディションを自分に与えてくれます。**

Part 3

自力整体をやってみよう

今回の実技の狙《ねら》いと効果

今回の自力整体は前半を「疲労回復」、後半を「足腰の強化」、そして最後に「仕上げ」というメニューで紹介します。

前半は日ごろ緊張して凝っている筋肉、とくに屈筋群のほぐしと脱力に重点を置いています。

後半は股関節《こかんせつ》やヒザ、足首といった脚の関節群の柔軟法と伸筋群の強化をします。そして仕上げとして、正しい・美しい姿勢を維持するための筋肉を使ったスタイルキーピング法です。

「足腰の強化」というと、脚の筋肉に負荷をかけて筋肉に力を入れることだと思われるでしょうが、自力整体の考え方は違います。自力整体では「骨格が正しくないのに鍛えても強くはならない」という考え方をし、そしてなにより大事なことは、すべての筋肉が**その力を最大限無理なく発揮できる骨格を作ること**だと。

それには**歪みのない柔らかい関節が基本**です。

歪みがあるとからだが硬くなります。からだが硬いということは、からだのあちこちでブレーキがかかり思うように筋肉の性能が発揮できない、ということです。

ですから、今回の実技では、屈筋群をほぐしてブレーキを取り除いてから伸筋群の強化をしています。

この自力整体をやることで左頁のような筋肉を作り上げます。

その1 つねに脱力できていて、必要なときだけさっと緊張させ、終わったらもとの脱力へ戻ることのできる筋肉

その2 転倒、打撲などの外傷を受けたとき、その衝撃を柔らかく吸収し、ダメージを受けない筋肉

その3 長時間の作業によって発生する筋肉疲労物質の乳酸を少なくし、疲労を防ぎ、発生しても速やかに乳酸が排泄《はいせつ》されるような疲労回復の早い筋肉

その4 突然の衝撃やストレスに対し、すばやく反応し危険を回避できる反射神経がすぐれた筋肉

その5 毛細血管が多い温かい筋肉（温かい筋肉（からだ）は慢性の冷え性を解消し、病気に対する免疫力や老廃物の排泄《はいせつ》力を高める）

その6 きつい労働や空腹に強くスタミナのある筋肉（筋肉内のブドウ糖の貯蔵量が多い筋肉）

その7 超人的なパワーが出せる筋肉（ひとつの動きに対して、局所の部分的筋肉だけを使わず、足腰や肚《はら》から出るパワーを使えるため）

その8 からだの前後左右の骨格の歪みがない筋肉

その9 コリや痛みと縁のない筋肉（筋肉がつねに脱力しているため）

それでは自力整体を始めますが、その前に26頁を一読してください。効果アップのコツと注意点が書いてあります。

では、自力整体を始めましょうか……

首・肩コリ、猫背が治る

（バストアップ、細いウエスト）

正座して集中

正座をして目を閉じて深呼吸します。外に向いていた意識を自分の中に向けて集中しましょう。自分のからだを見つめて観察することが大切です。

1-1

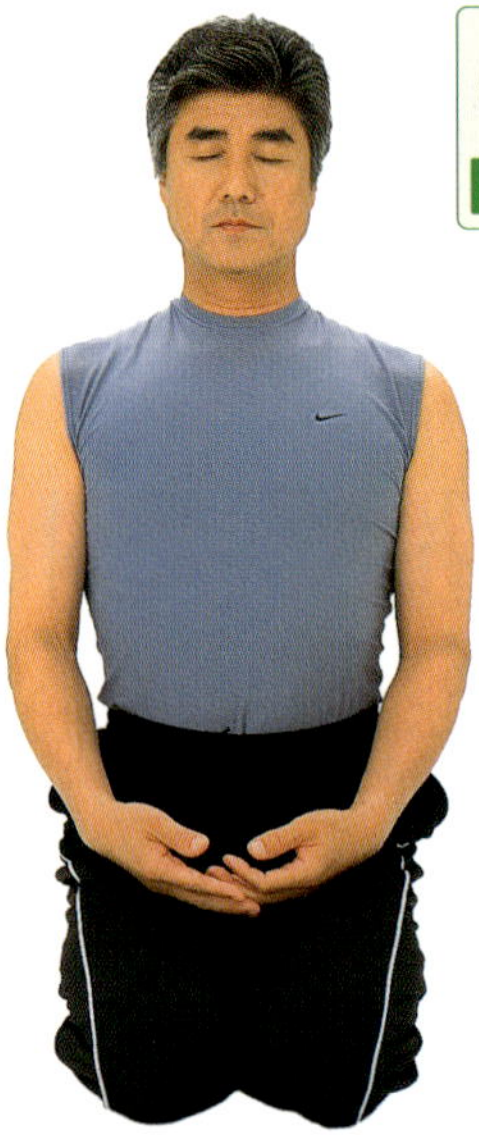

正座をして深呼吸をする。

腸腰筋《ちょうようきん》ほぐし

おなかをマッサージして骨盤と肋骨《ろっこつ》との間を広げて、背骨を伸ばします。おなかを柔らかくすると、全身の関節が柔らかくなります。

1-2

POINT 手の平を腰のほうに向かって腹の中に入れる。

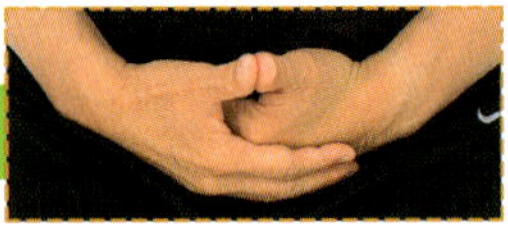

両手を重ね、

からだを引き上げ、手でももを押しのどを伸ばし、

骨盤の左右揺すり

骨盤を揺すりながら押し下げると、足腰に力が入ります。肋骨《ろっこつ》を上に持ち上げると腕の力が強くなります。骨盤と肋骨《ろっこつ》との間が広がると、内臓の働きが非常にスムースになります。

1-3

手の甲でももを押し、上に向かって伸び上がる。

POINT
持ち上げた内臓が下がらないよう背骨が伸びたままを保つ。

手を右に押し込んだら、お尻は左へ揺する。

POINT
おなかを左右に揺すりながら。

おでこを床へつけ、手を左のほうに押し込み、お尻は右へ揺する。

骨盤を左に押し下げ、肋骨を上に持ち上げる。

POINT
骨盤がいきにくいほうは凝っている。

つま先を開いて立ち、両手を骨盤に当て右に押し下げ、肋骨は上に持ち上げる。

骨盤を左右にねじる。

腰、裏もも伸ばし

腰や脚の後ろ側を伸ばし、肋骨《ろっこつ》を持ち上げます。アゴを引き肋骨《ろっこつ》を持ち上げ、おなかを締めると正しいキレイな立ち姿になります。

1-4

手を腰に当てアゴを出し、上半身を下に垂らす。

右ヒザを曲げて左ヒザの後ろを伸ばす。

POINT
アゴを出しながら、腰を伸ばすことを意識する。

左ヒザを曲げて右ヒザの後ろを伸ばす。

両脚のヒザを伸ばす。

両手を背中の後ろで組み、頭のほうへ持ち上げ、

両手を右へ揺らす。

両手を左へ揺らす。

アゴを出して正面を見て、

ゆっくり起き上がる。

アゴを引き肋骨を上に持ち上げ、肩を下げる。

POINT

肋骨を持ち上げ肩を下げると、正しい姿勢になる。

頸椎《けいつい》の揺すりほぐし

頸椎《けいつい》の縮みをとります。首が胴体にめり込むと、脳の血流が悪くなり血圧が上がったりします。首を胴体から引き抜くと、肋骨《ろっこつ》と骨盤との間が広がりウエストにくびれができ、バストもアップします。猫背や肩コリにも効果的です。

1-5

POINT
首を胴体から引っこ抜くような感じで揺すると効果的。

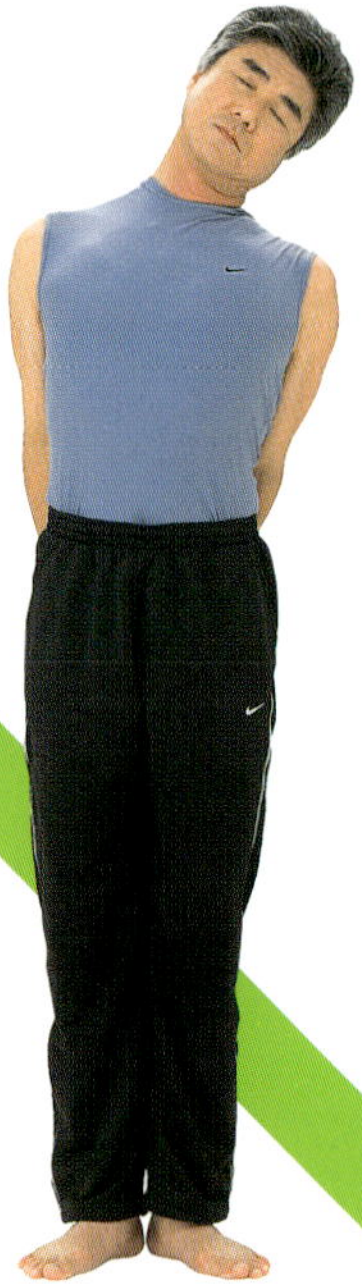

右肩を下げながら右首を引き上げる。

一度頭を下げて戻し、

左肩を下げて左首を伸ばす。

四つんばいからだ回し

四つんばいになり、自分のからだの凝っているところ、硬いところを気持ち良く動かしながらほぐします。

1-6

四つんばいになり、からだを回転させてコリをほぐす。

POINT
脱力しながら、つねにゆっくり動く。

肩のコリを絞り出すように首に押しつけたり、肩を回転させてほぐす。

のけ反っておなかの周りの縮みを伸ばす。

POINT
自分の凝っているところをうまく探す。

からだを後ろに引き、わきを伸ばすのもOK。

手首ほぐし（左）

手の甲をほぐすと、首・肩コリや腰痛、目の疲れをとり排便も促進します。指をほぐすと脳への血流が良くなるので、高血圧の予防・改善に効果があります。手の平は、左をほぐすと胃腸が活発になり心臓を癒すため呼吸が楽になります。右をほぐすと肝臓、婦人科系に効果があります。

1-7

左の手の甲を床に下ろし、頭を下げる。

POINT
開放するときはゆっくりと。

指を開いて逆手にし、右手で指のつけ根を抑え、

足の指を立て、ゆっくりお尻を後ろに引く。

柔らかい人は頭を床へ下ろしていく。

POINT
肩の力を抜きながら、人差し指、中指、薬指をほぐす。

手の平を床につけ手首に体重をかける。

ゆっくりと戻し、手の甲を軽く床へつける。

手首ほぐし（右）

右の手首をほぐします。

1-8

右の手の甲を床に下ろし、頭を下げる。

逆手にし指のつけ根を抑え、足の指を立ててお尻を後ろに引く。

手の平を床につけ手首に体重をかける。

両手を逆手にし、お尻を揺する。

ゆっくりと戻し、手の甲を床へつける。

わき伸ばし

わきを伸ばすと、肋骨《ろっこつ》が下がっているほうが硬くて、肩の関節にも少し痛みを感じます。肩（五十肩も）、ヒジや手首、腕の痛みはわきの縮みをとり、肋骨《ろっこつ》を持ち上げることで解消します。

1-9

右手を前に左手は外へつき、一度のどを伸ばし、

POINT
ヒザを十分に開く。

わきを下げて右のこめかみを床へつける。

POINT
縮みがほぐれるように気持ち良く動く。

左手を前に右手は外へつき、一度のどを伸ばし、

わきを下げて左のこめかみを床へつけ、わきの縮みをほぐす。

POINT
少し揺すると効果アップ。

親指どうしを触れさせ、一度のけ反り、

ゆっくりと胸を下げ、おでこをつける。

POINT
おでこでからだを支え、左右に揺れながら気持ち良く伸ばす。

左右に揺する。

踏み込みして正座

脚を踏み込み、お尻からカカトの縮みをほぐします。腕や脚の伸筋の強化にもなります。左右に歪みのない人は、両方同じように伸びます。カカトをつけての正座は、骨盤が矯正されるとできるようになります。

1-10

POINT
右脚は浮かせて左ヒザの後ろに。

左脚を踏み込み、前後左右に揺する。

右脚を踏み込み、前後左右に揺する。

両脚を踏み込み、なるべく背中もしならせる。

POINT

背中が持ち上がったイメージで深呼吸する。

カカトの上にお尻の骨を乗せて正座し、深呼吸する。

左右のカカトどうしをくっつけて、

背中から腕のコリほぐし

背中から肩にかけてのコリをとります。血行が良くなり猫背を治します。また、噛《か》み合わせのズレやメニエール病のめまいなどにも効果があります。

1-11

ヒザ立ちになって右脚を斜め前に立て、

左手首を曲げて右手でつかみ、

後ろに持っていき左肩を下げ、頭を右に上げる。

POINT
左手を後ろに引っ張るとより効果アップ。

左手を前に出し、右手で下から左手の親指をしっかりつかみ、

ヒジを曲げて胸に引き寄せ、

親指を強く反らしながら腕を伸ばす。

左腕を右へと引っ張り、アゴの下へ持っていき、

手をねじりながら、ヒジを右の太ももに乗せる。

POINT

ヒジを曲げてできるシワの先端は「曲池」というツボで、目の疲れがとれる。からだが硬い人は乗せられるところでOK。

からだを左右に動かし上半身の重みで指圧する。

ヒジをヒザの外に引っ掛け、からだを右にねじる。

戻してさらに首や肩を下げ、背中のコリをほぐす。

右手を離してももの上に置き、アゴを上げて、

だらりと腕を下げ気持ち良さを味わう。

ヒジが最後に離れるようにゆっくり起きてくる。

左脚を立て右手首を左手でつかみ、

もう一回、からだの後ろで左手首を右手でつかみ、左肩と左首を伸ばす。

からだの後ろに持っていき、右肩を下げ頭を左に上げる。

左手で右手の親指をぎゅっとつかみ、

親指を強く反らしながら腕を伸ばす。
右腕を左へと引っ張り、アゴの下へ持っていき、
手をねじりながら、ヒジを左の太ももに乗せる。
からだを左右に動かし上半身の重みで指圧する。
ヒジをヒザの外に引っ掛け、左にねじる。
戻して首や肩を下げ、背中のコリをほぐす。

左手を離しももの上に置き、ゆっくり起きる。

だらりと腕を下げる。

もう一回、からだの後ろで右手首を左手でつかみ、右肩と右首を伸ばす。

わき、腕、胸ほぐし（右）

1-12

わきの縮みがとれ、肋骨《ろっこつ》が上がると肩コリや猫背が解消されます。右わきを伸ばすと肝臓の刺激、左わきを伸ばすと胃の刺激になります。また胸を広げると呼吸が楽になります。

両手で肋骨を引き上げ、上半身は左後ろに反らせる。

左手をヒザに置き、右手を床につけ、

左脚を横に出し、右手を前に
出して手の平を上に向け、

右の肋骨を下げていく。

POINT
右手に力が入らないようにお尻を後ろに引く。

からだを左右に揺さぶる。

POINT
左脚を前に持ってくるとより効果アップ。

ヒザを開いて四つんばいでおでこをつけて休憩。

右手を斜め前に出し、内側にねじり、

POINT
硬い人は横に出す。

からだを左にねじり右の側頭部をつけ、左手を立てて肩をほぐす。さらに肩を刺激しながら手を下ろす。

踏み込みして正座

59頁と同じ自力整体です。

1-13

左脚を踏み込み、前後左右に揺する。

右脚を踏み込む。前後左右に揺する。

両脚を踏み込み、背中もしならせる。

カカトを揃えて正座し、深呼吸する。

わき、腕、胸ほぐし(左)

左のわき、腕、胸のコリをほぐしていきます。

1-14

両手で肋骨を引き上げ、上半身を右後ろに反らす。

右脚を横に出し、左手を前に出し手の平を上に向け、

からだを左右に揺さぶる。

左の肋骨を下げていく。

ヒザを開いて四つんばいでおでこをつけて休憩。

からだを右にねじり左の側頭部をつけ、右手を立てて肩をほぐす。さらに肩を刺激しながら手を下ろす。

親指どうしを触れさせのけ反り、
肋骨を下ろし、左右に揺れながらわきをほぐす。

踏み込みして正座

59頁と同じ自力整体です。

両脚を踏み込み、背中もしならせる。

休憩

刺激した後はリラックスすることが大切です。いままでの動きで絞り出した筋肉内の老廃物を回収する時間ですので、休憩はシッカリとってください。大きく深呼吸しながらどんどん余分な力を抜いていきます。

腰痛、O脚、冷え性が治る

（ヒップアップ、細いウエスト・太もも・足首）

脚ほぐし

脚のツボを刺激します。目の疲れをとったり、生理痛や便秘、むくみ、冷え性を解消します。

2-1

手でからだを支えて左脚を伸ばす。

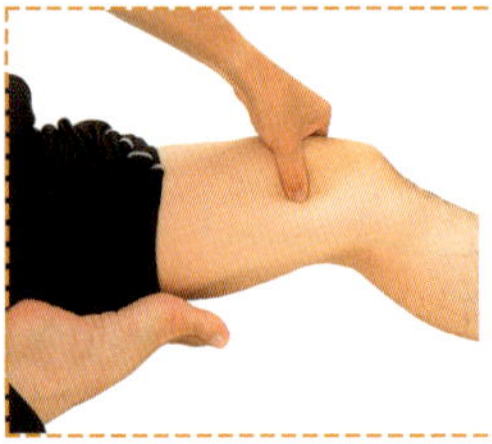

目の疲れをとり、首を柔らかくするツボ。生理不順や生理痛、ヒザの痛みが解消できる。

ツボを右の土踏まずで踏み、右ヒジで体重をかける。

反対側も同様に凝って痛いところを探して踏む。

POINT 目の疲れがとれるので目を閉じて。

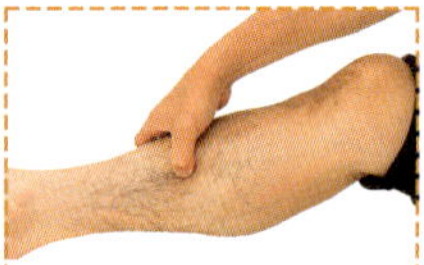

おなかの奥にある古い便を出すツボ。

左足のカカトの骨で、むこうずねの内側の凝って痛いところを踏む。

同様に右のカカトで痛いところを踏む。

POINT 踏まれている脚を持ち上げようとすると、より強く刺激される。

足の裏踏み（左）

2-2

足の裏踏みは排便に効果があり、また階段を登るときのヒザの痛みに効きます。足の甲やアキレス腱《けん》は捻挫《ねんざ》予防や冷え性、階段を降りるときのヒザの痛みに効果があります。

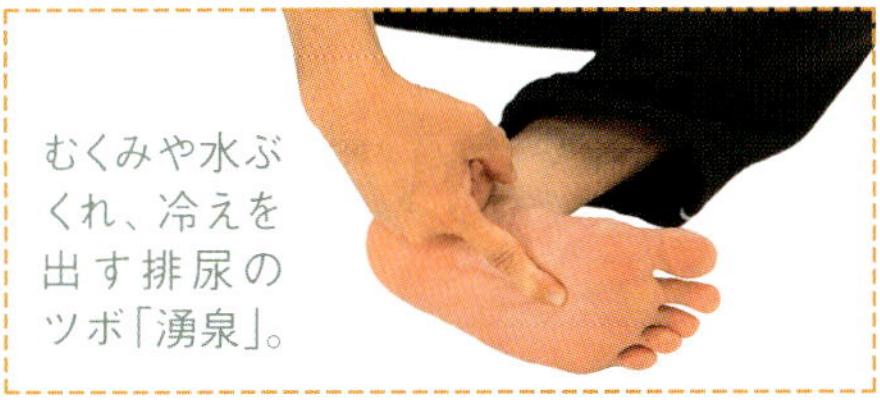

むくみや水ぶくれ、冷えを出す排尿のツボ「湧泉」。

左の足の裏に右のカカトを当て、お尻を上げて弾みをつけて踏む。

POINT
両方のつま先は同じ方向を向ける。

反対側の足の裏を体重でゴリゴリ押す。

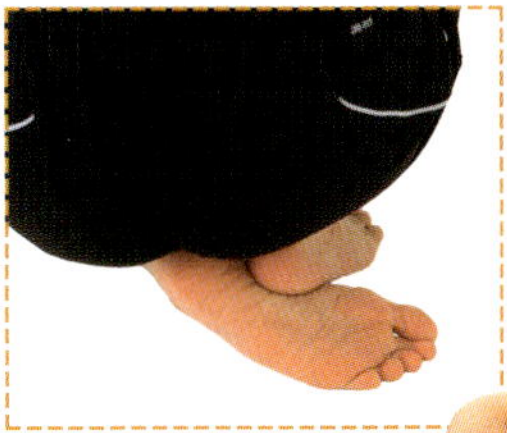

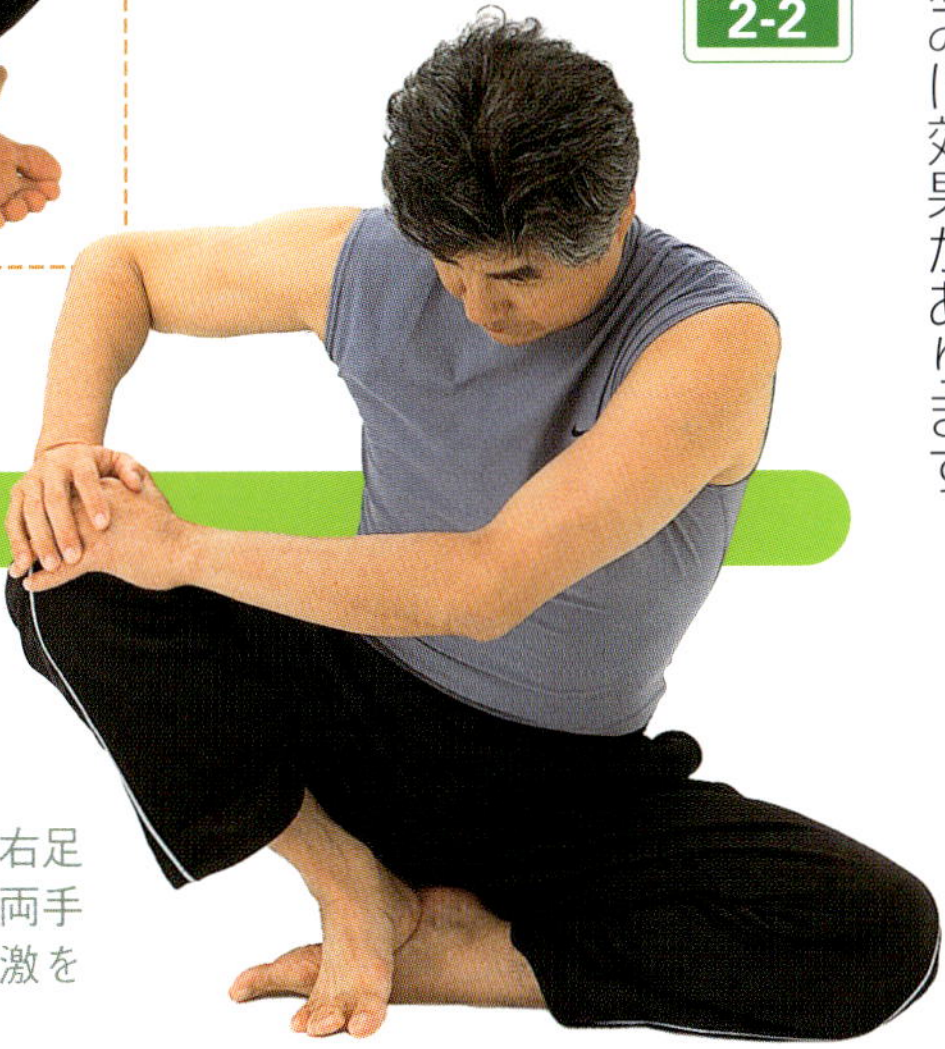

左足の土踏まずを右足のカカトで踏み、両手でヒザを回して刺激を与える。

股関節《こかんせつ》ほぐし（左）

股関節《こかんせつ》の内側の硬い筋肉をほぐすとO脚矯正ができ、冷え性や階段の登りが楽になります。また喘息《ぜんそく》や呼吸器にも効果があります。

2-3

手をついて左脚を横に伸ばし、

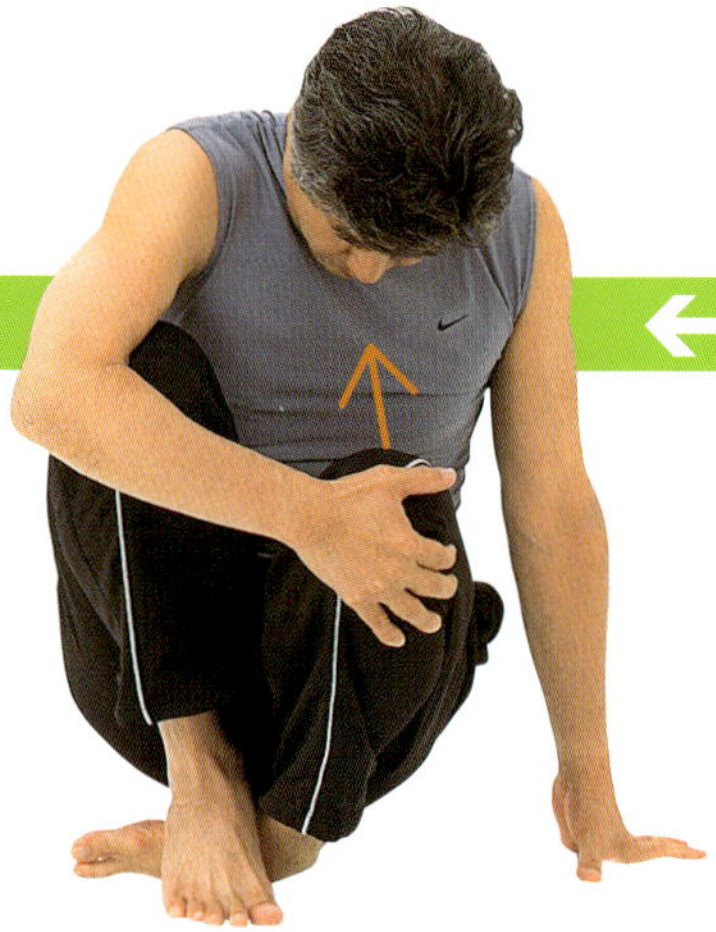

左手を床へつき、左のヒザを持ち上げて右手でつかみ、胸に引きつけ足の甲を伸ばす。

右ヒザを前に押し、右足のアキレス腱の縮みを伸ばす。

右ヒジをヒザの内側に入れ左の股関節を開く。

POINT
左のカカトは直角にし、右足のカカトは床につける。

左手で太ももの内側やヒザの上をほぐす。

足の裏踏み(右)

右側の足の裏を踏みます。

2-4

右の土踏まずに左のカカトを乗せ、マッサージする。

右のヒザを持ち上げ左手でつかみ、胸に引きつけ足の甲を刺激する。

左ヒザを前に押しアキレス腱の縮みを伸ばす。

股関節《こかんせつ》ほぐし（右）

2-5

右側の股関節《こかんせつ》をほぐします。

手をついて右脚を横に伸ばし、

右手で太ももの内側やヒザの上をほぐす。

左ヒジをヒザの内側に入れ右の股関節を開く。

POINT
右のカカトは直角にし、左足のカカトは床につける。

開脚屈伸

2-6

脚の内側の筋肉を強化しO脚を治します。腰痛や坐骨《ざこつ》神経痛に効果があり、階段を登るときのヒザの痛みから解放されます。

手を床へついて、からだを真ん中に持ってきて、

POINT

ヒザの悪い人やきつい人は手をついたまま行い、決して無理をしない。また股関節を伸ばし過ぎないようにも注意する。

手を床へついて、片方のヒザを曲げお尻を下ろす。

ヒザに手を置き、脚の力で立ち上がり真ん中へ。

手をヒザに置いたまま、股関節を揺すりほぐす。

ゆっくりと反対側へ移動する。これを繰り返す。

腰髄神経《ようずいしんけい》ほぐし（右）

2-7

腰髄神経《ようずいしんけい》をほぐすと股関節《こかんせつ》が柔らかくなり、足腰が強くなります。また脚の血行促進、排便、排尿、子宮、生殖器などに関係する神経は腰髄神経《ようずいしんけい》から出ています。腰痛の解消にも効果大です。

POINT

できる人は血流が良く、できない人は血流が悪いので冷えている。

あぐらのような姿勢（がっせき）で足の裏を上に向け、持ち上げる。

足の裏を持ち、手前に持ってきたり、前後に揺すりながらマッサージする。

左脚を立てお尻をカカトに近づけて左ヒジを引っ掛け、右手を床へつき右腰を伸ばす。

右手を後ろから大きく回して上に上げ、

右手で右ヒザを押しながら右腰を伸ばす。首は左へ倒す。

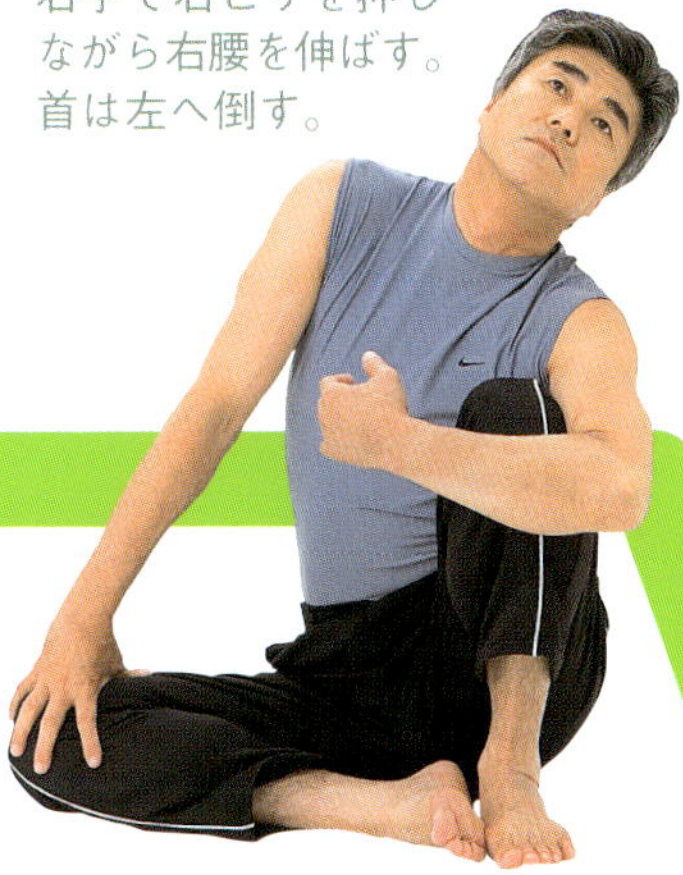

からだを左へ揺すりながら肋骨を引き上げ、さらに右腰を伸ばす。

POINT
右首と右腰が伸びた状態を保ちながら。

POINT
足の裏が上に向かないのにヒザを下げようとすると必ず痛めるので要注意。

がっせきをして足の裏を持ち、前後に股関節を揺する。

右手で左ヒジをつかみ、さらに右のわき腹を上に引き上げて揺する。

腰髄神経《ようずいしんけい》ほぐし（左）

左側の腰髄神経《ようずいしんけい》をほぐしていきます。

2-8

右脚を立て右ヒジを引っ掛け、
左手を床へつき左腰を伸ばす

左手を後ろから上に上げ、左へ揺すり
ながら肋骨を引き上げ、左腰を伸ばす。

左手で右ヒジをつかみ、さら
に左のわき腹を上に引き上げ
て揺する。

POINT
左首と左腰が伸びた状態を
保ちながら。

がっせきをし
て足の裏を
持ち、前後に
股関節を揺
する。

左の骨盤《こつばん》矯正

骨盤の左右の歪みを矯正します。脚の裏側にある歩くときに良く使う筋肉をほぐすので、一日に10キロ歩いたのと同じくらい脚の筋肉が発達します。

2-9

足をつかみ軽く揺すり腰や脚の裏筋肉を伸ばす。

左脚を曲げて足の裏を右の内股につけ、

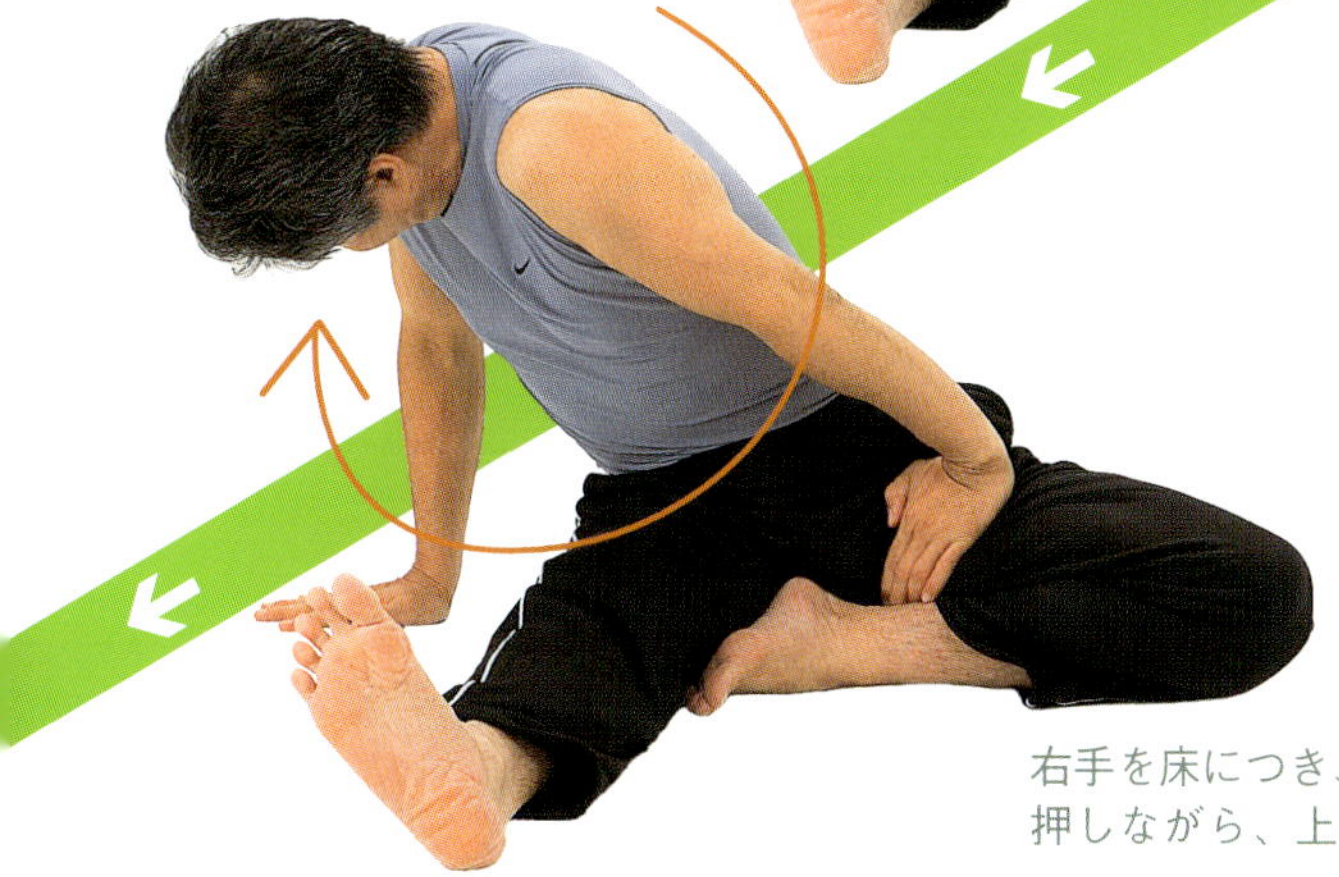

右手を床につき、左手はももの付け根を押しながら、上半身を右へねじる。

手が届かない
人はタオルを
使う。

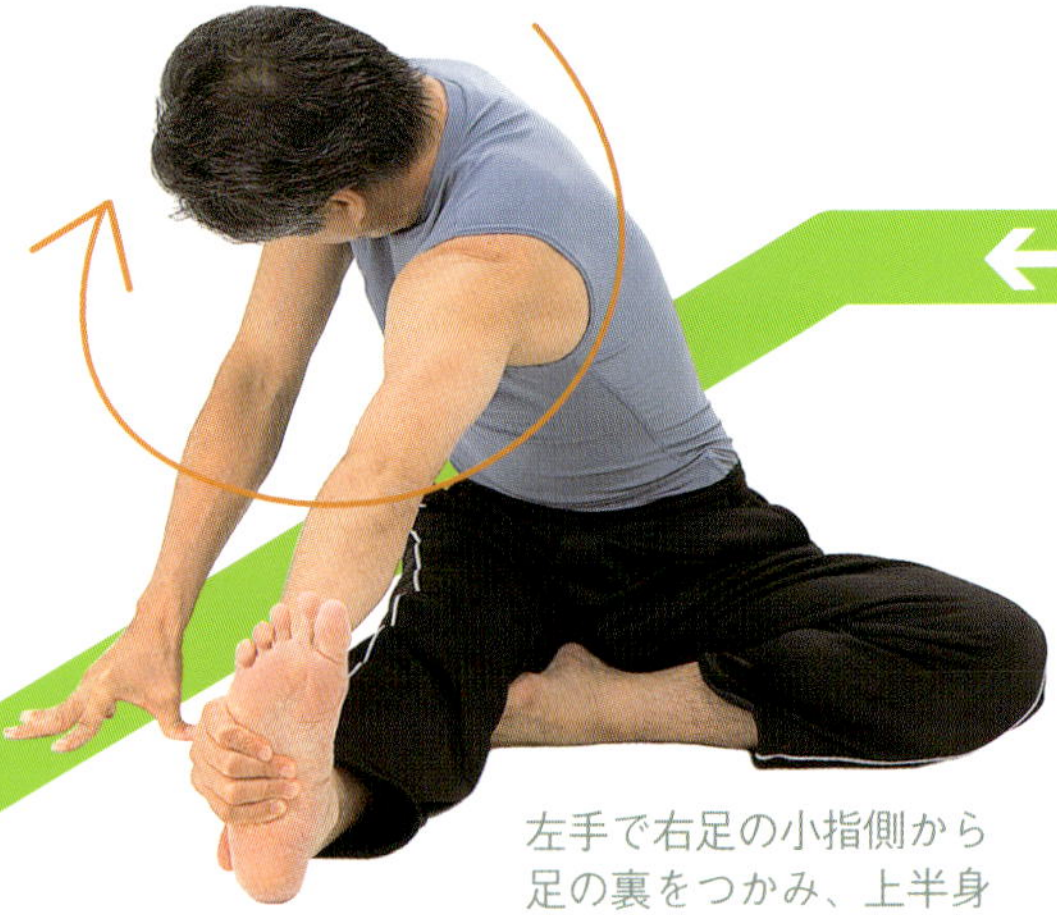

左手で右足の小指側から
足の裏をつかみ、上半身
を起こして右へねじる。

右手で右足の
指をつかみ、

POINT
曲げるのではなく
脚の裏側をほぐす
のが目的。足首を
回すのも効果的。

アゴを出しおなかから前へ倒れ、
ももやヒザの裏側をほぐす。

ゆっくり起き上がる。

右の骨盤《こつばん》矯正

右側の骨盤を矯正します。

2-10

足をつかみ軽く揺すり腰や脚の裏筋肉を伸ばす。

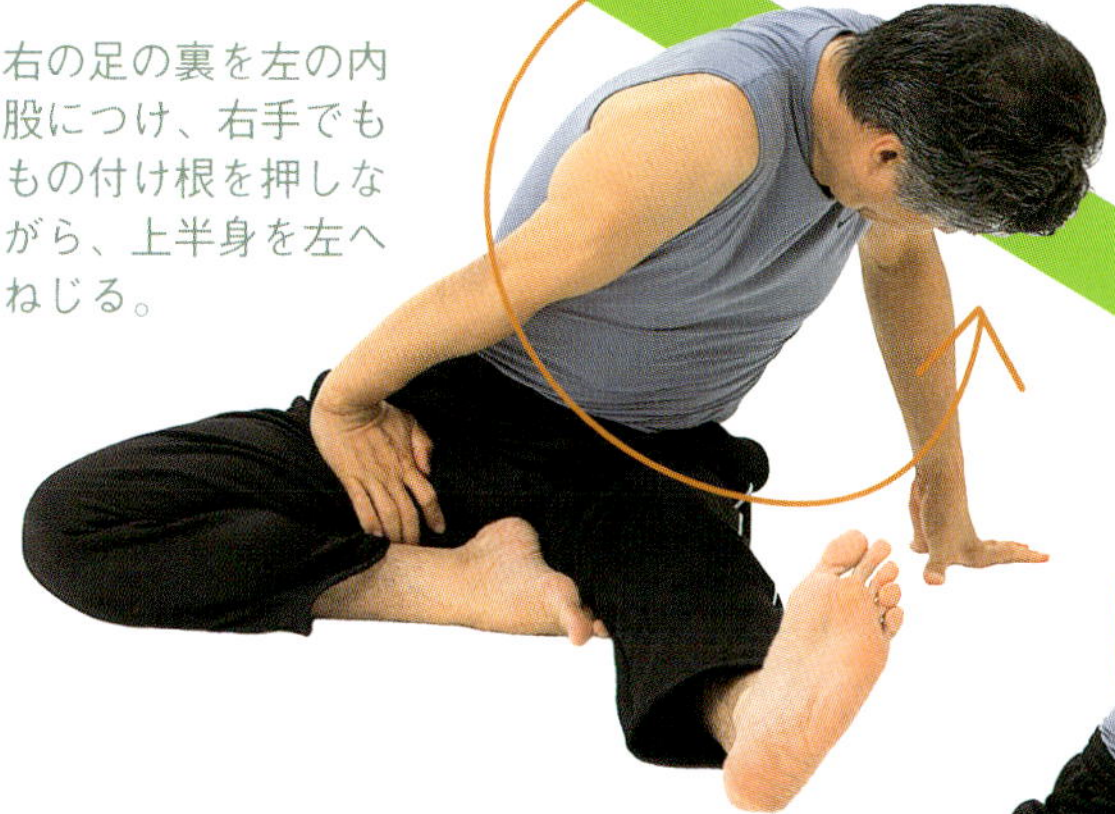

右の足の裏を左の内股につけ、右手でもも付け根を押しながら、上半身を左へねじる。

右手で左の足の裏を外側からつかみ、上半身を左へねじる。

POINT
揺すりながらヒザの裏側をほぐす。

左手で足の指をつかみ、ももやヒザの裏側をほぐす。

足をつかみ軽く揺すり腰を伸ばす。

反り腰矯正

反り腰になっている人は首が凝り、アゴが上がりやすくなっています。おなかを引き締めることで反り腰を矯正します。

2-11

手脚を前に出した状態から、アゴを引き腰まで床につける。

アゴを引く力で起きてくる。

足をつかみ軽く揺すり腰を伸ばす。

両手で左ヒザをつかみ、ヒジを伸ばしてアゴを引いて腰を床につける。

反動を使わずにヒザを前に押す力だけで起きてくる。

足をつかみ軽く揺すり腰を伸ばす。

POINT
ヒジは曲げずに、アゴも引いたまま行う。

片側の骨盤《こつばん》引き締め

片側ずつ仙腸関節《せんちょうかんせつ》を引き締めていきます。股関《こかん》節《せつ》が硬くなると仙腸関節が緩み、反対に仙腸関節が引き締まると股関節《こかんせつ》が柔らかくなります。

2-12

両手で右ヒザをつかみ、ヒジを伸ばしてアゴを引いて腰を床につける。

POINT
できない場合は腰を前後に転がしながら起きる。

ヒザを前に押す力だけで起きてくる。

少しあおむけで休憩する。

両ヒザを立ててカカトとお尻をくっつけ、

両手を軽くおなかに当て、

左脚だけ横に開き、

POINT
両ヒジで床を押したり、右の手の平で床を押す。腰に痛みを感じているほうが上げにくい。

左斜め上にお尻を持ち上げ揺する。

腰を下ろして床につけてマッサージする。

カカトとお尻をくっつけて両手をおなかに当て、

両足首をつかんで少し開き、両ヒザは閉じ、

右ヒザを内側へ倒し床へつける。

左ヒザを床へつける。

右脚だけを横に開き、右斜め上にお尻を持ち上げ揺する。

腰を下ろして床につけてマッサージする。

POINT
足首をつかめない人は手は横でもOK。

お尻の持ち上げ骨盤《こつばん》締め

お尻を持ち上げ仙腸関節を引き締めて、内臓を上に引き上げます。また前屈《まえかが》み姿勢を矯正し、尿の失禁も予防します。

2-13

つま先を並行にして両足首をつかみ、

POINT
足首を内側からつかんでも良い。足首がつかめない人は添えるだけでもOK。

お尻を持ち上げ、つま先立ちになり揺する。

頭の後ろで手を組んで、前に首を伸ばす。

右首を伸ばす。
左首を伸ばす。
真正面で少し強く
引っ張る。

休憩

大きく深呼吸しながらリラックスしてからだを脱力します。

2-14

あおむけになって
休憩する。

正しい姿勢になる
（キレイな姿勢）

正しい立ち姿

正しい立ち方は、肩を後ろに引くことではありません。つま先を開いて骨盤を引き締めて、肋骨《ろっこつ》を持ち上げ、アゴを引き、大地をしっかり踏むこと。これが自然な正しい立ち方です。

3-1

POINT
下半身は締める、上半身は開く。

正しい立ち方は、つま先を開きカカトと両ヒザはつけ、お尻の割れ目を内側に締める。そして上半身はみぞおちや肩幅、眉間を開く姿勢。
次の自力整体の前に軽く骨盤を揺すっておく。

腰、裏もも伸ばし

正しい姿勢を作る自力整体です。
52頁と同じ自力整体です。

3-2

手を腰に当て前に曲げ、右ヒザを曲げて左ヒザの後ろを伸ばす。

左ヒザを曲げて右ヒザの後ろを伸ばす。

両手を背中の後ろで組んで、アゴを出しながら起きてくる。

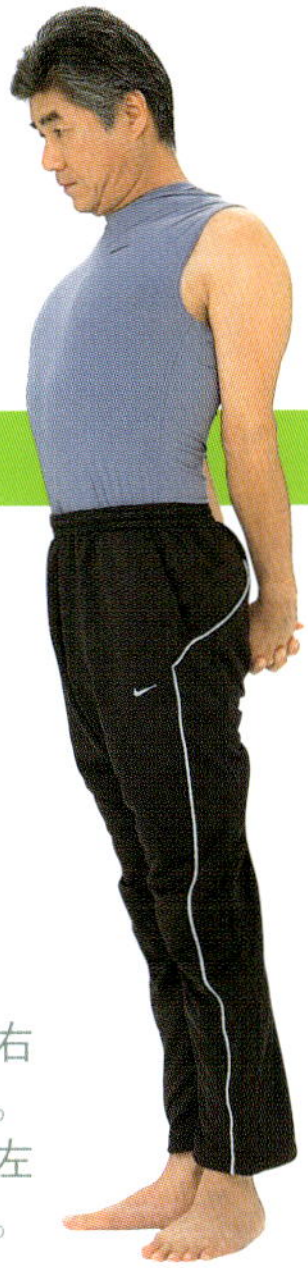

アゴを引き、胸を上に持ち上げ肩を下げる。

右肩を下げ右首を伸ばす。左肩も下げ左首を伸ばす。

脚のバランス強化

片脚を軸に前後に手脚を振ります。長い時間かけて街中を歩くよりも家の中でこの自力整体をやっているだけで良い姿勢がキープでき、歩き方もキレイになります。

3-3

左脚に重心をかけ、左手、右脚を前に出して歩くように揺する。

前後に10回揺する。

前後に10回
揺する。

右脚に重心をかけ、右
手、左脚を前に出して
歩くように揺する。

ぶらぶらと揺すり、
頭・目の疲れをとる。

両手を同時に
前後に揺する。

Part 4

自力整体、整食法、整心法をもっと詳しく知ろう

からだが歪む場所はどこ？
～からだのしくみを知って自力整体の効果アップ！～

□背骨につながる3つの骨

人間のからだの中心には背骨があります。背骨には「骨盤《こつばん》、肩甲骨《けんこうこつ》、頭蓋骨《ずがいこつ》」という3つの骨がつながっています。

イラストにあるように骨盤は背骨の一番下につながっていて、その骨盤と背骨のつなぎ目のことを仙腸関節《せんちょうかんせつ》といいます。肩甲骨は背中の部分で背骨とつながり、そこから腕につながっています。頭蓋骨《ずがいこつ》は頸椎《けいつい》の一番上につながっていて、その部分を後頭骨《こうとうこつ》といいます。

ちなみに肋骨《ろっこつ》は背骨が伸びたものです。

□からだの歪みを正して整体にする

からだの歪みは、これら「骨盤、肩甲骨、頭《ず》蓋骨《がいこつ》」に起こるもので、その歪みを治そうとからだが自然に猫背になったり、腰曲がりになったり、湾曲《わんきょく》になったりしているのです。そして、**これらの歪みは同時に起こります**。つまり骨盤が歪めば、自然と肩甲骨や頭蓋骨《ずがいこつ》も歪み、肩甲骨が歪めば骨盤や頭蓋骨《ずがいこつ》も歪むのです。

反対に**骨盤の歪みを正せば、頭蓋骨《ずがいこつ》や肩甲骨、**

骨盤のすべてがまっすぐになります。この状態を「整体」といい、**整体になると肩コリや腰痛、ヒザの痛みなどはなくなる**のです。

からだを整体にするには、まず歪んだまま固まっている屈筋《くっきん》群をほぐします。そしてまっすぐに整体になった状態を保つためには、それらを支えている伸筋《しんきん》群を引き締めておくことが必要なのです。そして、これを実践するのが自力整体であり、整食法なのです。

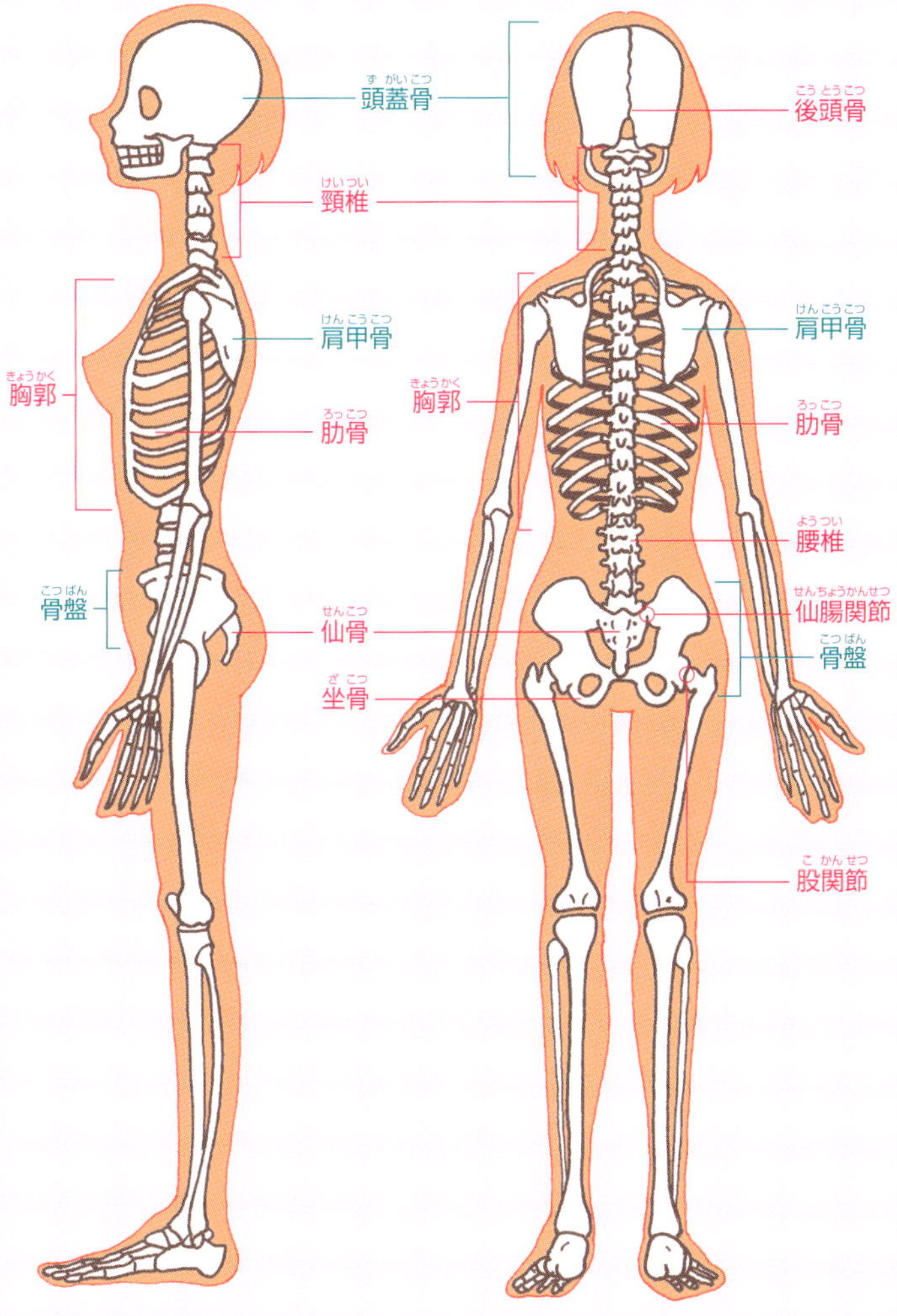

自律神経に合った生活ってどういう生活？
～自力整体、整食法は自律神経に合わせられている～

■交感神経《こうかんしんけい》と副交感神経《ふくこうかんしんけい》の働き

私たちのからだは、自分が意識していなくても自然に心臓は動いていますし、胃腸も働いています。この自分の意志とは関係なく、つねにからだを正しく働かせる神経を自律神経といい、自律神経には「交感神経《こうかんしんけい》」と「副交感神経《ふくこうかんしんけい》」の2つがあります。

交感神経は活動を活発にし、体温を上げたり、排泄《はいせつ》を促進したり、エネルギーを発散させるための神経です。**副交感神経は休息や睡眠、疲労回復のための神経**です。

この2つの神経は太陽の動きに連動していて、日中は交感神経が活発に働き、日が暮れてから日の出までは副交感神経が積極的に働く時間帯です。

また、自律神経には男女の違いも現れやすくなっています。男性は交感神経が活発に活動し、女性は副交感神経が活発です。

■自力整体は自律神経に沿ったもの

自力整体と整食法は、この自律神経の働きに合わせ作られています。

交感神経が活発な午前中は老廃物を排泄《はいせつ》する時間です。まず、朝食を摂らない「滞留便除去法」（次項参照）を実践し、交感神経をシッカリ働かせるための自力整体（DVD「2 腰痛、O脚、冷え性が治る」）を行ってください。すると排泄《はいせつ》がより誘《いざな》われ老廃物を出してくれます。

睡眠時は自然治癒力が活発に働く時間帯です。自然治癒力が活発に働いているときは、副交感神経がシッカリ働いているときです。さらに自然治癒力を活躍させるには、熟睡を促すための自力整体（DVD「1 首・肩コリ、猫背が治る」）が有効です。夜遅い時間に食べない「空腹睡眠法」（次項参照）も必須ですので、忘れてはいけません。

自律神経の働きについては『自力整体整食法』に詳しく解説していますので、そちらも参考にしてください。

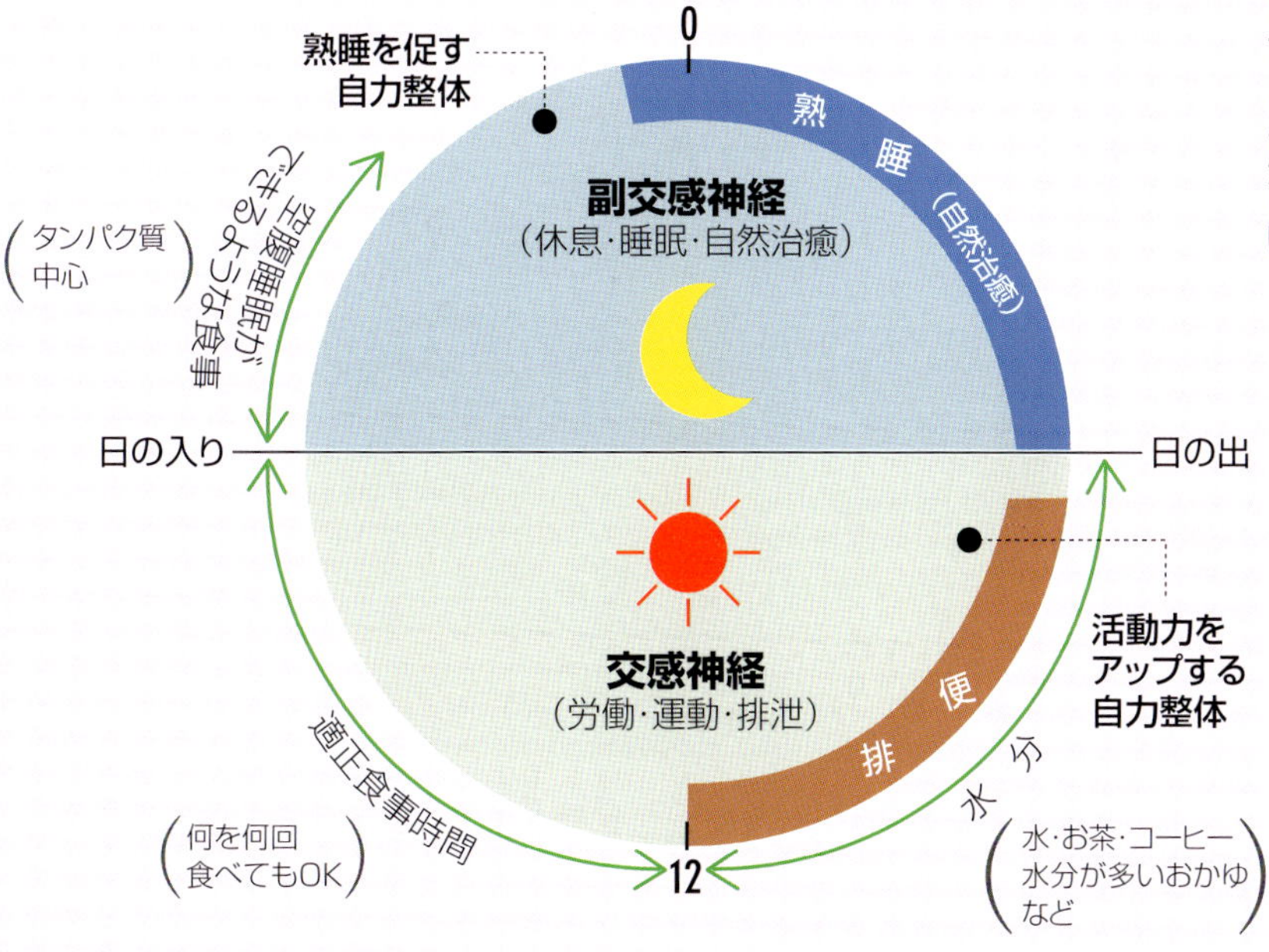

整食法ってどんな食事法？
～5つの食事法で内臓の若さを保つ～

□ 整食法《せいしょくほう》は5つの食事法でできている

整食法《せいしょくほう》はからだの自然治癒力を高めるために考えた食事法で、「空腹睡眠法《くうふくすいみんほう》」「滞留便除去法《たいりゅうべんじょきょほう》」「空腹運動労働法《くうふくうんどうろうどうほう》」「単品摂取法《たんぴんせっしゅほう》」「淡味調理法《たんみちょうりほう》」の5つからなっています。

その1 空腹睡眠法《くうふくすいみんほう》

自然治癒力がイチバン活発に働く時間は睡眠中で、そのとき体中の老廃物を集めたり、からだの故障部分の修理や歪みの矯正をします。

ところが胃の中に食べ物があると、睡眠中の自然治癒力の働きは悪くなります。胃の消化作業に血液が使われ、筋肉内の乳酸や脂肪といった老廃物の回収作業に血液が回らないためです。

また、胃が働いている間は、筋肉が緊張してしまうため脱力できません。結果、からだの歪みの修正も行われません。

つまり、睡眠に入った瞬間に自然治癒力を活動させるために**夜遅くに食事をしないこと**。これが「空腹睡眠法」です。

その2 滞留便除去法《たいりゅうべんじょきょほう》

睡眠中に集められた老廃物も、からだの外に排泄《はいせつ》できなければ意味がありません。この老廃物はおもに滞留便という形で排泄《はいせつ》されます。滞留便とは通常朝一番に出る硬い便と異なり、2回目に出る下痢《げり》状の緩い便のことです。

この滞留便はモチリンというホルモンの働きによって排泄《はいせつ》されます。ところがモチリンは食事をすると働きが止まってしまう。だから、**滞留便が排泄《はいせつ》されるまで食事をしない＝朝食を摂らない**、という方法が「滞留便除去法」です。

滞留便除去法をトライしはじめた人の中には、便秘になる人がいます。しかし心配いりません。1、2週間もすると、からだも慣れてきて、朝食を摂らなくても排便できるようになります。

その3 空腹運動労働法《くうふくうんどうろうどうほう》

「空腹運動労働法」は、**胃の中に食べ物が入っていない状態で運動や労働をすること**です。

日本人の多くは「腹が減っては戦《いくさ》ができない」と思い込んでいます。しかしそれは勘違い。実際は、胃の中に食べ物を入れていないほうが、シッカリ運動や労働はできるのです。

胃の中に食べ物が入っていると、それを消化するため血液が胃腸に集中します。そのときに運動や労働をするとそちらにも血液が使用され、結果、両方とも貧血状態になります。

消化作業を活発に働かせるためには、血液を十分に胃腸に供給しなければなりません。反対に、考える仕事の場合は脳に十分な血液を与え、からだを動かすときは筋肉に十分な血液を与えなければならないのです。

血液をすべてその活動に当てるため、運動や労働は空腹ですることを薦めているのです。

その4 単《たん》品《ぴん》摂《せっ》取《しゅ》法《ほう》

炭水化物とタンパク質を一緒に食べないという食事法が「単品摂取法」です。

炭水化物とタンパク質の消化液はそれぞれ異なり、一緒に働くことはできません。

ご飯とおかずを同時に食べたとき、まずおかずであるタンパク質が消化されます。その間、炭水化物であるご飯は胃の中で待機しています。そしておかずの消化が終わってから、ようやくご飯の消化作業が始まるのです。

つまりそれらを一緒に食べると、当然、胃腸は長い時間働かなければなりません。これを助けるための方法が「単品摂取法」です。

食べる**割合は、8対2を目安に**してください。この位ならば胃の負担は少なくてすみます。

その5 淡《たん》味《み》調《ちょう》理《り》法《ほう》

「淡味調理法」は、**料理の味つけは薄味に**しましょう、というものです。

からだが柔らかくなると、味つけの濃いものに敏感になります。濃い味つけはからだを硬くしますので、それが自然にわかるようになるのです。

また、味の濃いものを食べるとご飯が食べたくなり、単品摂取法を守ることができなくなるという理由もあります。

整食法をまとめると……

ここまで5つの食事法を紹介しました。では、いつ何を食べればいいかということになりますが、まず**水分は一日中いつ摂っても、何度摂ってもかまいません**。もちろんお酒もOKです。

次に食べ物ですが、まず午前中は「滞留便除去法」と「空腹運動労働法」から食事をしません。夜は「空腹睡眠法」のため食事を控えます。

すると残りの**お昼の12時から夕方6時の間**、これが整食法が薦める**適正食事時間**になるわけです。この時間帯は体温も上がり、消化活動が活発になっていますので、この時間帯ならば**何を食べても、何回食べてもOK**です。

甘い物もこの時間帯に食べるようにしてください。夕方6時以降は体温が低下しますから、このときに甘い物や炭水化物を食べるとむくみや脂肪としてからだに蓄えられてしまうからです。

夕方6時以降におなかがすいたときは、タンパク質を軽くつまむようにするか水分の多いおかゆを食べてください。このとき気をつけてほしいのは決して食べ過ぎないこと。自然治癒力の活躍には空腹での睡眠がとても大切ですので、「おなかが空いていると眠れない」というからだに思いやりのない習慣はやめましょう。また、水分の多いおかゆなら午前中に食べてもかまいません。固形物ではなく水分と認識されモチリンの働きが止まらないからです。

食事法については、まだまだいろいろとお伝えしたいところですが、『自力整体整食法』に詳しく書きましたのでご参考ください。

整心法ってどんな考え方をするの？
～ストレスを解放してリラックスした毎日を！～

ロイメージ力とこころの脱力が整心法《せいしんほう》

整心法《せいしんほう》は、リラックスした毎日を送るための考え方や心持ちをまとめたものです。

こころとからだはつながっているため、筋肉や内臓だけ健康になることは難しいものです。とくにからだの**不調や病気を治すときには、「良くなりたい、なるんだ」というイメージは重要**になります。

自力整体や整食法もそのようにイメージしながらすると、からだの不調や病気から快復する力が大幅にアップするのです。

また現代の社会は日々の生活の中で、私たちに大変なストレスを与えるため、リラックスした毎日を送ることが難しくなっています。このストレスは、こころのリラックスを奪うことはもちろんのこと、筋肉や内臓までもリラックスできなくさせています。ムダな考え方や感情はからだを破壊することにもつながります。

整心法はこのムダな考え方やからだを破壊するような感情とうまくつきあう方法だと思ってください。かまえず気楽に考えてください。

日本人は心配性の遺伝子がある

私たち日本人は**心配性の遺伝子を持っています**。それは台風や地震、日照り、洪水といった自然の脅威の中で生活してきたためで、しかたがないものです。

そしてこの**心配性の遺伝子は次の4つの恐怖症を作り出しています**。

①貧乏恐怖症

お金がなくなる、生活ができなくなる

②仲間はずれ恐怖症

世間に迷惑をかけてはいけない、世間や仲間に嫌われてはいけない

③病気・死恐怖症

病気になって手遅れになる、寝たきりやボケになる

④恥恐怖症

失敗したり醜態を見せて人に笑われる、軽《けい》蔑《べつ》される

これらは遺伝子として持っていますので、逃げることはできません。また、こころを鍛えて

頑張ったり、見ないように強がったりするのもオススメできません。恐怖症が出てきたら「おっ、今回は『恥恐怖症』が出現したな」と**受け入れて、恐怖症と仲良くやること**です。すると、こころはとらわれから解放され、脳がリラックスできるようになります。

4つの忘れ箱

脳のリラックスはひとつのことに集中することでも得られます。ムダな考え方や感情は、雑念や妄想から起こります。ということは反対にひとつのことに集中するようにすれば、脳は脱力できるのです。

雑念や妄想の代表は、次の3つです。

①まだ来ていない未来への心配。今ここにいない家族や恋人への心配

②過ぎた過去の失敗や受けた損害の記憶。後悔、未練

③先送りして後回しにしている、しなければいけないこと

これらの雑念や妄想を排除し集中力をつけるため4つの「**忘れ箱**」を用意しました(左表)。

まだまだある整心法

整心法はこのような考え方で、ここで紹介したものはほんの一部です。まだまだ心配性遺伝子から解放するための整心法の考え方がありますが、それらは『自力整体脱力法』の中で詳しく解説してありますのでご参考ください。

とにかく、ムダな感情は取り去り、リラックスした毎日を送りましょう。それが健康、そして幸せへとつながるのです。

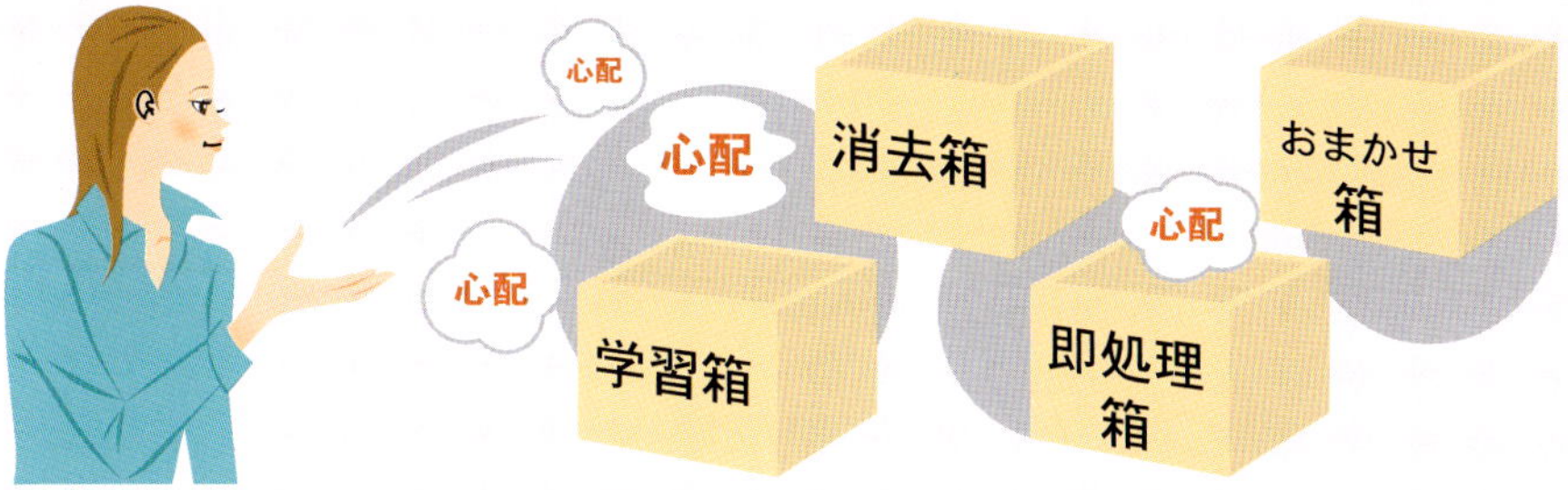

箱	用　途	内　容
①消去箱	思い出したくない記憶を忘れるための箱	忘れたい嫌な記憶やムカムカすることを「消去箱」に捨てる。一度入れてもまた思い出すがその都度消去することで忘れられる
②おまかせ箱	未来への心配事を忘れるための箱	試験や人からの評価は自分では決められないので、100％の努力をした後は運を天に任せ、「おまかせ箱」に入れる。また、病気も自分のからだの自然治癒力を信じて「おまかせ箱」に
③学習箱	失敗したときに学んで忘れるための箱	失敗したときは、ただ気分転換をして忘れるのではなく、その失敗の原因を考えて学習してから「学習箱」に入れる
④即処理箱	やらねばならないことをなくすための箱	仕事の返事など後で考えてからにしないで、その場で応え「即処理箱」に入れる。しなければいけないリストに載せる前にすぐに対応して「即処理箱」に入れる。また、料理などは「その手片づけ」を。「その手片づけ」とは料理の段取りのように、煮物が煮えるのを待っているときにお皿を洗ったり、電子レンジの時間待ちのときに使った鍋を洗う、ということ

矢上予防医学研究所の案内

通信教育で矢上予防医学研究所は遠隔地の方のための、健康学習プログラムを提供しています。

2カ月に一度の『自力整体整食法通信』の発行と、自力整体、自律神経食事法（整食法）、二人整体、経絡治療、補助整体法、滞留便排泄合宿、指導者養成などの各種研修の案内を行っています。

通信教育を申し込まれる方は、郵便局で郵便振込用紙に「01190-0-65640 矢上 裕」と書いて、年会費3000円を添えてお申し込みください。

奇数月の第１週目に『自力整体整食法通信』を郵送します。そしてこの通信で上記の各種研修の募集をしています。

矢上予防医学研究所　提携施設

①琵琶湖ペンションマキノ（滋賀県）☎0740-27-0111

月末の金曜から日曜までの２泊３日断食を行っています。

詳しくはホームページ　http://www.petyado.com/yado-s/28shiga/28006.html

②自力整体ビデオライブラリィー　協栄ビデオ（兵庫県）☎0798-23-3653

カリキュラムが変わる春の4月と、秋の10月に、通信会員のために矢上裕の教室の授業をビデオに収録し、希望者に提供しています。妊婦のための安産自力整体などもあります。

③ライ麦パン製造・発送　エーゲン（兵庫県）☎0798-64-2359

滞留便を排泄する乳酸菌入りのライ麦パンを販売し、遠隔地の方へは発送しています。

④低農薬玄米、納豆の製造直売　せりた（秋田県）☎0185-45-2356

通信会員のために、秋田の農家に玄米や納豆の生産と、遠隔地への発送を依頼しています。

詳しくはホームページ　http://www17.ocn.ne.jp/~serita/

指導員一覧

2005年9月9日現在

※下記の指導者は、定期的に著者の指導者研修を受講し、自力整体を正確に指導しています。
※病気や症状の相談はしていません。教室に関する問い合わせのみお願いいたします。

住所	郵便番号	電話番号	名前
●北海道			
札幌市西区琴似三条1-1-13-801	〒063-0813	☎011-611-1877	杉村玲子
●岩手県			
花巻市下根子368-39	〒025-0025	☎0198-24-4077	早渡京子
●秋田県			
秋田市飯島新町1-7-10	〒011-0947	☎018-846-9479	斉藤弥生
秋田市寺内蛭根2-5-6	〒011-0904	☎018-823-3432	野々村晴美
南秋田郡大潟村東2-4	〒010-0442	☎0185-45-2356	芹田妙子
●宮城県			
気仙沼市四反田104-13本町ハイムB-102	〒988-0063	☎0226-22-0801	小山宗久
●福島県			
須賀川市南町138	〒962-0838	☎0248-73-3213	佐藤毅一郎
●東京都			
新宿区本塩町7田中ビル第2別館B1	〒160-0003	☎03-5379-0968	高科憲邦
杉並区高円寺北4-39-4	〒166-0002	☎03-5373-7367	松嶋笑子
世田谷区駒沢4-31-13	〒154-0012	☎03-3413-8734	本村美恵子
世田谷区南烏山3-21-2グランコート杉崎501	〒157-0062	☎03-5384-0477	関　鎮正
練馬区田柄5-15	〒179-0073	☎070-5219-6276	増田博子
練馬区中村北4-20-3-403	〒176-0023	☎03-3999-7433	田中幹子
西東京市新町1-4-1-401	〒202-0023	☎0422-37-1457	神谷芳美
国立市富士見台1-43-9-302	〒186-0003	☎042-575-9728	反田敦子
立川市幸町5-77-4	〒190-0002	☎042-536-1273	関口素男
八王子市横川町923-20	〒193-0823	☎0426-25-3232	佐野和美
八王子市平岡町16-1	〒192-0061	☎0426-28-3463	柴山恵美子
町田市森野1-9-18仲屋第一ビル3階 自力整体 桜木スタジオ	〒194-0022	☎042-728-0878	櫻木五美
多摩市和田2-2-103	〒206-0001	☎042-371-9172	押見朋子
東村山市多摩湖町2-21-62	〒189-0026	☎070-5583-5197	小山寿美子

住所	郵便番号	電話番号	名前
●神奈川県			
横浜市神奈川区西寺尾3-22-5	〒221-0001	☎ 090-6569-4142	山本修子
横浜市神奈川区入江2-15-32	〒221-0014	☎ 045-421-5725	船津仁美
横浜市栄区上郷町373-23	〒247-0013	☎ 045-894-2379	星野潤子
横須賀市田浦大作町43	〒237-0074	☎ 046-861-2253	米田順子
大和市つきみ野4-6-C1-302	〒242-0002	☎ 046-293-7320	村上郁子
小田原市早川3-19-4	〒250-0021	☎ 0465-24-1830	戸辺裕子
藤沢市亀井野3310-25-255	〒252-0813	☎ 0466-82-1171	内田十糸子
藤沢市鵠沼神明2-7-3-202	〒251-0021	☎ 0466-50-1520	江田康洋、薫
●埼玉県			
川越市下新河岸70-16	〒350-1136	☎ 049-243-9189	日下　秀
川越市吉田47-5	〒350-0807	☎ 049-233-4839	小林淑江
越谷市登戸町11-40	〒343-0846	☎ 048-989-5731	紀國なつみ、島袋朗
北本市北本宿150-8	〒364-0021	☎ 048-592-4436	佐藤由美子
●千葉県			
千葉市緑区あすみが丘9-12-9	〒267-0066	☎ 043-295-7443	鈴木照子
市原市中279-3	〒290-0226	☎ 0436-92-0899	真栄城克子
市川市塩焼5-2-22	〒272-0114	☎ 047-395-3070	鈴木裕子
●茨城県			
土浦市白鳥町993-8	〒300-0022	☎ 029-831-9875	益子良江
土浦市天川1-20-32	〒300-0818	☎ 029-822-0936	風間陽子
土浦市若松町37-2	〒300-0063	☎ 029-824-3820	阿部京子
土浦市木田余3020-10	〒300-0026	☎ 029-824-0870	中村博美
●栃木県			
宇都宮市宝木町2-2573-31	〒320-0061	☎ 028-624-1675	粂川千春
宇都宮市鶴田町406-20	〒320-0851	☎ 028-647-0755	片山純子
宇都宮市西川田本町1-17-15	〒321-0158	☎ 028-658-2498	横田ひかり
足利市家富町2269-2	〒326-0803	☎ 0284-41-6225	川原圭一郎、幸江
今市市板橋2635	〒321-1102	☎ 0288-27-1438	船生安子

住所	郵便番号	電話番号	名前
●群馬県			
前橋市昭和町1-3-9	〒371-0034	☎027-233-6215	関崎典子
桐生市広沢町1-2784-5	〒376-0013	☎0277-54-1480	上野芳弘
高崎市楽間町280-14	〒370-0087	☎027-344-1582	新井久恵
高崎市群馬町稲荷台95-4ヴィラレーベン102	〒370-3516	☎027-373-5573	武藤　剛
●山梨県			
山梨市七日市場783-8	〒405-0007	☎0553-23-2243	広瀬　稔
●長野県			
飯田市北方2654-3	〒395-0151	☎0265-25-8802	佐々木謙一
上田市常入1-7-43エトワール上田1-107	〒386-0015	☎0268-23-0171	佐藤淑江
下高井郡木島平村上木島3278-249	〒389-2303	☎0269-82-3172	行方光子
●岐阜県			
岐阜市前一色2-17-2	〒500-8232	☎058-246-4898	林　幸
可児市桜ヶ丘4-208	〒509-0235	☎0574-64-0276	神ノ川惟香子
関市上利町43	〒501-3852	☎0575-22-7478	井島公子
●富山県			
小矢部市中央町2-26	〒932-0045	☎0766-67-0228	大沼　勝
小矢部市西町2-28	〒932-0055	☎0766-68-0563	藤本雅明
高岡市あわら町6-42	〒933-0911	☎0766-24-3379	吉田清子
富山市下新町8-50太田コーポ201	〒930-0804	☎076-433-5510	金木和香子
●石川県			
七尾市矢田町3-225ハイツ横山10号	〒926-0014	☎0767-53-8584	飯田　厚
七尾市本府中町カ-27-4	〒926-0021	☎0767-52-3074	井上弘子
能美市末信町ト-5	〒923-1117	☎0761-51-8166	津田武志
●福井県			
敦賀市市野々2-59-1-7	〒914-0124	☎0770-22-6533	岩井順子
●愛知県			
名古屋市守山区中新10-8-2C おばた治療室	〒463-0057	☎052-795-4366	岩月麻里
名古屋市南区道徳北町2-5	〒457-0864	☎052-691-5502	カリン
名古屋市熱田区白鳥2-8-8	〒456-0035	☎052-671-9250	伊藤百合子
日進市香久山2-3009	〒470-0134	☎052-805-0261	清水智枝子
西尾市徳次町地蔵10-6	〒445-0072	☎0563-54-8330	藤井桂子
宝飯郡小坂井町小坂井倉屋敷48-26	〒441-0103	☎0533-78-3748	橋本千春
岡崎市藤川荒古1-3-4	〒444-3527	☎0564-52-5031	吉平美也子

住所	郵便番号	電話番号	名前
●静岡県			
浜松市大平台4-36-3	〒432-8068	☎053-482-0204	寺村きよ美
富士市中丸233	〒416-0933	☎0545-61-6787	岩辺　均
伊豆市大平柿木63-1	〒410-3213	☎0558-87-1191	菊地美佐子
静岡市葵区八千代町24-4	〒420-0013	☎054-252-4584	田中光子
●大阪府			
大阪市淀川区三津屋中1-5-7	〒532-0036	☎06-6390-4448	辰野　幸
大阪市都島区都島本通4-2-3	〒534-0021	☎06-6921-2140	澤谷日彌子
大阪市阿倍野区北畠3-6A-8	〒545-0035	☎06-6653-4960	木村　要
大阪市阿倍野区天王寺町北3-6-3-109	〒545-0001	☎06-6713-5140	大東久子
大阪市西淀川区花川1-10-4	〒555-0023	☎06-6472-2960	寺澤和代
大阪市西区新町4-7-22-602	〒550-0013	☎06-6531-2116	池田　綾
守口市大枝東町11-9	〒570-0036	☎06-6996-0723	服部洋子
東大阪市御厨南3-4-7	〒577-0034	☎06-6788-3791	高田幸子
豊中市曽根東町2-1-6-201	〒561-0802	☎06-6865-5052	白田雅子
泉佐野市市場南1-5-29	〒598-0004	☎0724-64-7401	井上由美子
高石市取石2-17-6	〒592-0013	☎072-271-4941	橋本恵子
堺市南花田町83-1太平パシフィック南花田903	〒591-8011	☎072-250-1349	金谷千恵
●兵庫県			
神戸市西区美賀多台7-15-13	〒651-2277	☎078-997-0067	海野る美
神戸市西区桜が丘東町4-21-1	〒651-2225	☎078-994-9101	若水順子
神戸市西区竹の台6丁目6-3-902	〒651-2274	☎078-997-6304	宮野恭子
神戸市垂水区狩口台5-12-20	〒655-0049	☎078-782-7148	横山シゲ子
神戸市垂水区狩口台7-6 ラメールⅡ-1-601	〒655-0049	☎078-782-8677	森寺悦子
神戸市中央区脇浜海岸通3-1-18-3102	〒651-0073	☎078-222-0087	松本正明
神戸市北区東有野台4-9-14	〒651-1322	☎078-984-3227	高野謙二
神戸市北区松が枝町1-14-10	〒651-1232	☎078-581-8279	清水克易
神戸市北区青葉台32-2	〒651-1231	☎078-583-8731	田中隆男
芦屋市朝日ヶ丘町35-3-204	〒659-0012	☎0797-38-1980	本庄典子
西宮市上ヶ原四番町4-5	〒662-0894	☎0798-52-6383	長谷川玲子
西宮市甲子園口5町目5-5	〒663-8113	☎0798-66-3641	柴谷厚子
宝塚市南口1-7-34	〒665-0011	☎0797-81-5467	飯間正巳、郁容
姫路市田寺3-10-7	〒670-0086	☎0792-98-1034	平尾青衣子
姫路市広畑区北野町1-36北野アパート16-6	〒671-1112	☎0792-36-9478	桑原(勝田)理恵

住所	郵便番号	電話番号	名前
●兵庫県（つづき）			
姫路市白浜町丙570-1	〒672-8023	☎0792-45-8169	名田路子
姫路市緑台2-8-20松本様方	〒671-2247	☎090-8125-8769	前田智美
三木市自由が丘本町1-136	〒673-0424	☎0794-82-5220	小舟健夫
小野市育ヶ丘町1475-455	〒675-1324	☎0794-62-7655	内藤須美子
宍粟市千種町千草97	〒671-3201	☎0790-62-8541	田中満郎
加古郡稲美町蛸草625-5	〒675-1116	☎0794-95-0905	松下日富美
丹波市春日町東中229-1	〒669-4272	☎0795-75-2626	中川　勝
加古川市野口町野口119-152	〒675-0012	☎0794-26-6451	時田信子
明石市大久保町西島184-1　1-104	〒674-0065	☎078-947-6842	新谷ますみ
●京都府			
京都市伏見区納屋町112岩田ビル4F	〒612-8363	☎075-561-7099	久保田素子
京都市伏見区小栗栖北後藤町1-12-107	〒601-1446	☎075-572-3224	東野登志子
京都市上京区相国寺門前町657-3F京龍館	〒602-0898	☎075-213-0288	村上るり子
京都市西京区大枝北沓掛町2-12-1	〒610-1101	☎075-333-1297	中西睦子
乙訓郡大山崎町広敷11-14	〒618-0071	☎090-3658-1655	福井千景
城陽市寺田大畔2-28	〒610-0121	☎0774-55-1282	伊藤由紀子
●滋賀県			
栗東市小野223-143	〒520-3016	☎090-1894-4168	松江紫以
東近江市五個荘金堂町915	〒529-1405	☎0748-48-5457	西村静枝
犬上郡多賀町久徳396	〒522-0352	☎0749-48-0333	中居あつ子
伊香郡余呉町坂口626	〒529-0522	☎0749-86-3839	平野芳恵
愛知郡愛知川町平居282	〒529-1322	☎0749-42-4340	中村敦子
野洲市近江富士3-6-28	〒520-2324	☎077-587-6483	伊藤昌美
●奈良県			
吉野郡吉野町菜摘751	〒639-3446	☎07463-2-1634	上野勝治
大和郡山市長安寺町38	〒639-1127	☎0743-56-3763	坪内純子
●三重県			
桑名市東方1204-5	〒511-0811	☎0594-24-3294	加藤真千世
桑名市蓮花寺611-79	〒511-0854	☎0594-23-2128	清水明美
鈴鹿市稲生こがね園8-23	〒510-0206	☎0593-86-5458	田島紀代子
●和歌山県			
新宮市王子町1-5-45	〒647-0032	☎0735-22-4183	岩上恵子
有田市宮原町新町487-4	〒649-0434	☎0737-88-6928	枠谷正子

住所	郵便番号	電話番号	名前
●鳥取県			
鳥取市円護寺1428	〒680-0005	☎0857-24-3430	中嶋早苗
境港市芝町339	〒684-0066	☎0859-44-3076	土川　泰
●岡山県			
岡山市八幡90-1	〒703-8254	☎086-275-5003	太田久美子
●広島県			
福山市東深津町2-17-11-4	〒721-0974	☎084-921-6828	桑原琴路
福山市東川口町3-5-15-2	〒720-0821	☎084-957-8587	濱上恵美
呉市宮原3-9-12	〒737-0024	☎0823-23-5088	金光富士子
呉市海岸1-5-17	〒737-0823	☎0823-21-4323	岩下善二
呉市焼山宮ヶ迫1-34-27	〒737-0908	☎0823-34-0671	平野慶子
東広島市高屋町高屋堀1202-2	〒739-2111	☎082-434-5005	豊柴博文
三原市本郷町本郷4997-1	〒729-0412	☎0848-86-3637	宮本迪代
●山口県			
宇部市西岐波区下萩原26-7	〒755-0151	☎0836-51-4557	綿谷　懋、昌明
●香川県			
高松市木太町2702-1プロスパーサンダ	〒760-0080	☎087-837-4666	小倉貞栄
●徳島県			
名西郡神山町神領字本小野541	〒771-3310	☎088-676-1040	赤星京子
徳島市八万町福万山7-18	〒770-8070	☎088-668-8539	森口登志子
●高知県			
南国市浜改田625	〒783-0083	☎088-865-2870	岡田寿美子
高知市高須東町18-17	〒781-8105	☎088-885-1070	森部侑惠
高知市曙町1-39-12	〒780-8072	☎088-844-2101	外京ゆり
●愛媛県			
松山市味酒町3-2-5ライオンズマンション603	〒790-0814	☎089-935-4133	村上真智子
松山市辰巳町1-7-2-1305	〒791-8086	☎089-951-6634	三好佳子
新居浜市庄内町6-3-11	〒792-0811	☎0897-34-1162	森　冨美子
今治市本町5-6-7	〒794-0018	☎090-2781-6123	窪　寿美
伊予郡砥部町五本松193-11	〒791-2133	☎089-962-6498	森岡泰子
宇和島市津島町北灘乙424	〒798-3362	☎0895-32-2935	和田元義
西条市福武甲712-7	〒793-0035	☎0897-55-6304	菊池ひとみ
伊予市中村341-3	〒799-3123	☎089-982-4574	戸田千穂
東温市下林甲35-1	〒791-0222	☎090-4970-3386	山野愛子

住所	郵便番号	電話番号	名前
●福岡県			
福岡市南区桧原5-28-103	〒811-1355	☎ 092-567-0810	眞如貴代
福岡市南区高宮5-17-9-503	〒815-0083	☎ 092-552-7553	佐久間左千江
山田市上山田749	〒821-0012	☎ 0948-53-3369	鶴田初代
糟屋郡粕屋町長者原290-5-B-201	〒811-2311	☎ 092-957-1195	松枝眞弓
嘉穂郡穂波町秋松347-7ラムサ	〒820-0083	☎ 0948-25-4928	佐藤恒士
春日市春日8-38-4	〒816-0814	☎ 090-7987-3792	中村佳津子
●宮崎県			
宮崎市南高松町3-5	〒880-0005	☎ 0985-24-9912	葛原知子
宮崎市学園木花台南3-5-2	〒889-2153	☎ 0985-58-0060	西田幹子
西都市妻1575-4	〒881-0033	☎ 0983-43-2219	丹羽芳子
●鹿児島県			
鹿児島市田上町3684-4	〒890-0035	☎ 099-264-5646	南スミ子

● 著者紹介
矢上　裕（やがみ　ゆう）
1953年、奄美大島で生まれる。関西学院大学2年のとき、予防医学の重要性に目覚め中退し、鍼灸の道に進む。鍼灸院開業中、自力で経絡を調整する「自力整体整食法」の原型である経絡調整体操を考案。さらにヨガ、断食、整体を学び「自力整体整食法」を完成。
現在、関西で自力整体整食法教室を指導している。さらに遠隔地の人のために通信誌「自力整体整食法通信」（104頁参照）を郵送し、定期的研修や合宿などのスクーリングを行っている。
「矢上予防医学研究所」所長。

著書
『自力整体』『自力整体整食法』『自力整体脱力法』（ともに新星出版社）、『足腰、ひざの痛みを治す　自力整体法』『音声指導CD付　自力整体法の実際』（ともに農村漁村文化協会）、『痛みとストレスがみるみる消える！　自力整体入門』（PHP研究所）

ビデオ・DVD
『自力整体教室』『操体体操1　日常健康増進編』『操体体操2　症状別対策編』『操体体操3　背骨矯正若返り編』（いずれも農村漁村文化協会）

連絡先
住所　〒662-0841　兵庫県西宮市両度町2-19-401
Eメール　seitai@jiriki-yagami.com

DVDで覚える自力整体《じりきせいたい》

著　者　矢　上　　裕
発行者　富　永　靖　弘
印刷所　慶昌堂印刷株式会社

発行所　東京都台東区台東4丁目7　株式会社　新星出版社
〒110-0016　☎03(3831)0743　振替00140-1-72233
URL http://www.shin-sei.co.jp/

ISBN4-405-08187-5